La reine rebelle

Collection

# Jeunesse-plus

1. LE PHARE D'ISIS, Monica Hughes
2. LE GARDIEN D'ISIS, Monica Hughes
3. PIÈGE POUR LE *JULES-VERNE*
   Michèle Laframboise
4. LES VISITEURS D'ISIS, Monica Hughes
5. LE STRATÈGE DE LÉDA, Michèle Laframboise
6. LES MÉMOIRES DE L'ARC, Michèle Laframboise
7. LE DRAGON DE L'ALLIANCE
   Michèle Laframboise
8. SAMUEL DE LA CHASSE-GALERIE
   Michel J. Lévesque
9. LA QUÊTE DE CHAAAS, Michèle Laframboise
10. LE LABYRINTHE, Julie Martel
11. LE DEUXIÈME DRAGON, Julie Martel
12. LA REINE REBELLE, Julie Martel
13. LA VENGEANCE DES FLEURS, Julie Martel
14. LES VENTS DE TAMMERLAN
    Michèle Laframboise
15. L'AXE DE KOUDRISS, Michèle Laframboise

Julie Martel

# LA REINE REBELLE

*Les fleurs du roi - 3*

MÉDIASPAUL

*Médiaspaul reconnaît l'aide financière du Gouvernement du Canada par l'entremise du Programme d'aide au développement de l'industrie de l'édition (PADIÉ), du Conseil des Arts du Canada et de la Société de développement des entreprises culturelles du Québec (SODEC) pour ses activités d'édition.*

**Catalogage avant publication de Bibliothèque et Archives nationales du Québec et Bibliothèque et Archives Canada**

Martel, Julie, 1973-

    La reine rebelle

    (Jeunesse-plus ; 12. Fantastique-épique)
    Troisième tome de la série Les fleurs du roi.
    Pour les jeunes de 10 à 13 ans.

    ISBN 978-2-89420-751-2

I. Titre. II. Martel, Julie, 1973- . Fleurs du roi. III. Collection: Jeunesse-plus ; 12. IV. Collection: Jeunesse-plus. Fantastique-épique.

PS8576.A762R44 2009        jC843'.54        C2008-942365-8

PS9576.A762R44 2009

Composition et mise en page : *Médiaspaul*

Illustration de la couverture : *Laurine Spehner*

Maquette de la couverture : *Maxstudy*

ISBN 978-2-89420-751-2

Dépôt légal — 3ᵉ trimestre 2009
Bibliothèque et Archives nationales du Québec
Bibliothèque et Archives Canada

© 2009    Médiaspaul
        3965, boul. Henri-Bourassa Est
        Montréal, QC, H1H 1L1 (Canada)
        www.mediaspaul.qc.ca
        mediaspaul@mediaspaul.qc.ca

        Médiaspaul
        48, rue du Four
        75006 Paris (France)
        distribution@mediaspaul.fr

*Imprimé au Canada — Printed in Canada*

*à Victor Ortega,*
*pour le premier contact avec l'espagnol*

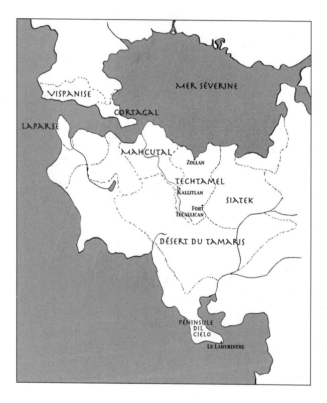

VISPANISE

MER SÉVERINE

CORTAGAL

LAPARSE

MAHCUTAL

ZOLLAN

TECHTAMEL

KALLITLAN

FORT
TECALLICAN

SIATEK

DÉSERT DU TAMARIS

PÉNINSULE
DIL
CIELO

LE LABYRINTHE

# 1

# UNE VENGEANCE

*Trois ombres se glissèrent dans les jardins du palais dil Senecalès aussi silencieusement que des araignées, profitant de cette nuit orageuse afin de passer inaperçues. Plusieurs chiens montaient la garde, mais aucun n'aboya. Les trois inconnus parvinrent sans mal au mur du pavillon nord et s'immobilisèrent, juste sous les fenêtres. Ils avaient chacun un petit sac à dos, étaient vêtus de sombre et portaient des masques qui cachaient le haut de leur visage, cependant leurs longs cheveux foncés bouclaient sur leurs épaules. Le plus grand arborait un anneau d'or à l'oreille droite ; il scruta les environs avant de faire signe aux deux autres de poursuivre. Ses acolytes sortirent une corde munie d'un grappin de l'un des sacs à dos. Le plus trapu des trois la lança avec grâce vers une fenêtre ; le grappin se fixa au rebord dès le premier essai. L'homme à la boucle d'oreille entreprit le premier de grimper à la corde.*

*Il montait à une vitesse stupéfiante, surtout pour un homme de son âge. Dahlia, qui l'observait d'une autre fenêtre, discrètement drapée dans le rideau, se sentit à nouveau extrêmement fière d'être sa fille. Elle avait longtemps cru qu'elle tenait ses talents de combattante du colonel qui lui avait servi de père, mais elle s'était ravisée dès qu'elle avait rencontré le grand Tadéo. Son véritable père avait autrefois été le plus rusé des généraux du Techtamel...*

*— Ils sont là, souffla Dahlia à ses deux sœurs, qui patientaient au fond de la pièce.*

*Les trois filles échangèrent un coup d'œil anxieux. Elles attendaient cette nuit depuis longtemps.*

*— Vous êtes vraiment sûres que...*

*Capucine se tut face au regard acide que lui jeta Dahlia. En vérité, nul n'aurait pu deviner que les trois sœurs étaient des triplées ; elles se ressemblaient assez, mais elles avaient des personnalités tout à fait opposées. Et si Dahlia, de loin la plus combative des trois, ressentait en général le besoin de protéger sa douce sœur, il arrivait souvent que les craintes de Capucine lui portent sur les nerfs. Comme cette nuit.*

*Tadéo se percha sur le rebord de la fenêtre et fit signe au suivant de monter. Puis il se glissa dans la chambre plongée dans l'ombre,* où il fut vite rejoint par ses acolytes. Les trois sœurs les y accueillirent de quelques mots polis. Seule Dahlia sourit franchement aux trois hommes en noir : Amaryllis et Capucine, quant à elles, gardèrent un air grave et se contentèrent de saluer leur père d'une brève inclinaison de la tête. Le grand Tadéo ne leur avait jamais témoigné beaucoup d'affection, il ne connaissait ses filles que depuis peu. Il leur rendit leur salut en silence.

La porte de la chambre s'ouvrit sur deux visages circonspects : Lucio dil Senecalès et son meilleur ami, le demi-elfe Tienko. Ils prirent le temps de dévisager les six occupants de la pièce avant d'y pénétrer à leur tour ; cette rencontre nocturne était prévue depuis l'avant-veille, cependant les deux braves guerriers faisaient toujours preuve de beaucoup de prudence.

Tienko, évidemment, était facilement reconnaissable à sa chevelure noire et lisse, à ses yeux d'obsidienne et aux oreilles pointues qui caractérisaient les elfes. Malgré sa jeunesse, le demi-elfe avait déjà acquis la réputation d'un héros, autant chez les mercenaires du désert que dans son royaume natal, le Mahcutal. Lucio, quant à lui, était de petite carrure en comparaison de son ami. Il n'était pas vraiment beau, mais ses yeux brillaient d'une intelligence exceptionnelle — et ses habits luxueux le *désignaient clairement comme un noble. Ce fut vers lui que Tadéo dirigea son attention :*

*— Héritier-machtli, je suppose ? fit-il, soupçonneux.*

*Lucio était un guerrier courageux qui avait déjà quelques exploits à son actif. Il n'aimait pas qu'on le désigne par son titre, qu'il ne devait qu'au hasard de sa naissance... Mais cela, l'ancien général du Techtamel ne pouvait le savoir. Et, après tout, Lucio était le neveu du roi Deodato du Techtamel ; il salua avec respect l'ancien général de son oncle :*

*— Lui-même. Je vous souhaite la bienvenue dans le palais de ma mère, Tadéo Balamqui.*

*Satisfait, l'ancien général retira son masque et l'héritier du trône du Techtamel sourcilla : il n'était pas difficile de se convaincre de l'identité du nouveau venu, il ressemblait beaucoup à ses trois filles. Capucine avait hérité ses grands yeux en amande ; la vie au grand air et les nombreux soucis de son existence avaient griffé ceux de Tadéo de pattes d'oie, cependant Capucine et lui avaient les mêmes iris pétillants, oscillant entre le noir et le brun, et les mêmes pommettes prononcées. Dahlia, pour sa part, tenait de son père sa carrure athlétique ; malgré l'ample robe qui dissimulait ses formes, on devinait la fille aussi souple et musclé que son père. Quelque chose dans leur attitude à tous deux rappelait la grâce des grands félins et le danger latent qu'ils représentaient...*

*Toutefois, Amaryllis était celle qui ressemblait le plus à son père : elle était aussi vive d'esprit que lui et cela transparaissait dans l'expression de son visage. Tous deux semblaient se questionner sans arrêt, sourcils froncés, et se tenir aux aguets, attentifs aux moindres détails... Mais physiquement, Amaryllis tenait aussi beaucoup de Tadéo : même silhouette élancée, mêmes épais cheveux noirs, même visage carré...*

*— Héritier-machtli, je vous présente Osvaldo dil Fontanol et Alcestes Huaxin, deux mercenaires de mes amis, enchaîna Tadéo, très formel.*

*Les deux hommes ainsi présentés enlevèrent leur masque à leur tour. Dahlia sourit à Osvaldo, heureuse de le revoir après si longtemps, et l'homme la serra dans ses bras avec une émotion qu'il ne chercha pas à dissimuler. Le meilleur ami du grand Tadéo Balamqui était tout l'opposé de celui-ci : facilement ému, grand amateur de femmes et beau parleur, il eut davantage été à sa place en tant que poète à la cour d'un roi que mercenaire dans le désert du Tamaris. C'était pourtant ce que le hasard avait fait de lui — et les triplées avaient matière à s'en réjouir, puisque c'était grâce à cet « oncle*

Osvaldo » qu'elles avaient retrouvé leur père...
Alcestes Huaxin, quant à lui, correspondait
parfaitement à l'image que l'on se faisait géné-
ralement des mercenaires. Il arborait les traits
coupés au couteau si typiques des autochtones
du Techtamel : son nez ressemblait à un bec
d'aigle, sa peau avait la texture et la couleur du
cuir tanné et ses lèvres minces ne paraissaient
pas faites pour sourire.

— C'est un honneur, répondit poliment
Lucio dil Senecalès.

— Tout l'honneur est pour nous, héritier-
machtli, intervint Alcestes Huaxin. Même dans
le désert du Tamaris, nous avons entendu
parler de la façon dont vous avez combattu
les corsaires du Siatek.

— Je commandais ce voyage, c'est vrai,
mais surtout à titre honorifique, puisque je
n'avais que dix-sept ans, rappela Lucio avec
humour. C'est l'expertise de mes capitaines
qui nous a permis de ramener la Gaviote et
la Olas à bon port.

— Le courage, même à titre honorifique,
est toujours louable.

Dahlia, que ces échanges de politesses commençaient à énerver, fronça les sourcils et dévisagea Alcestes Huaxin. Elle ne le connaissait
pas, il ne s'était pas trouvé dans l'entourage de
Tadéo lorsque la jeune fille avait été amenée

à son campement secret... *Elle grimaça un sourire : elle enviait souvent Amaryllis de tant ressembler à leur père, mais en fait, il avait été préférable pour elle qu'elle ressemblât comme un sosie à sa défunte mère. Autrement, son père aurait fort bien pu ne pas la reconnaître, lors de leur première rencontre, et la donner comme esclave à l'un de ses hommes ! Ils avaient été vingt-deux mercenaires, dans le désert du Tamaris, à reconnaître l'autorité de l'ancien général. La jeune fille avait passé six mois en leur compagnie ; elle se rappelait chacun d'eux et était prête à jurer que cet Alcestes n'avait jamais mis les pieds dans les grottes de Tadéo. Elle le rencontrait ce soir pour la première fois et cela ne lui plaisait guère : elle jugeait que cette nuit était trop importante pour prendre le moindre risque avec des inconnus...*

— *Père, nous avons discuté de votre plan avec Lucio et Tienko,* annonça soudain Amaryllis, *pour mettre fin aux civilités qui menaçaient de durer toute la nuit. Ils jugent plus prudent de tuer le roi tandis qu'il ne se méfie pas.*

*Tadéo Balamqui dévisagea sa fille, sourcils froncés, et celle-ci frissonna en remarquant la flambée de colère qui traversa son regard.*

— *Ce n'est pas ce que j'ai prévu,* lui rappela-t-il *d'une voix posée. Ils doivent* tous *mourir avant Deodato.*

Amaryllis s'était attendue à une telle réaction de la part de l'ancien général : il aimait contrôler les événements, être obéi. Mais le neveu du roi, quant à lui, éprouvait des réticences à assassiner froidement une demi-douzaine d'hommes ! La jeune fille soupira, comprenant qu'elle avait eu raison de craindre des difficultés entre Tadéo et Lucio.

Au départ, lorsqu'il avait accepté de se joindre à la vengeance des trois sœurs, l'héritier-machtli avait tenu pour acquis que seul Deodato mourrait. Quand Amaryllis avait évoqué les autres personnes dont son père souhaitait la mort, l'intérêt de Lucio s'était beaucoup rafraîchi. La jeune astromancienne restait persuadée que si les plans échafaudés dans le désert avec leur père devaient réussir, il fallait que le neveu du roi y prenne part. Elle eût aimé en convaincre le grand Tadéo.

— Et vous savez pourquoi Deodato doit mourir le dernier, poursuivit l'ancien général. Le tuer, ce serait trop... expéditif. Ça ne rachèterait pas mes années de souffrance et d'exil, ni vos années de solitude, d'ignorance ! Pour que justice soit faite, Deodato doit voir venir la mort vers lui. Lentement. Il doit avoir peur, rester éveillé dans sa chambre luxueuse en se demandant quand le couperet tombera...

— Voilà ! exulta Dahlia, son sourire carnassier défiant Lucio de protester. Est-ce plus clair lorsque c'est mon père qui l'explique, héritier-machtli ?

Celui-ci, visiblement mal à l'aise, ne répondit pas immédiatement. Son hésitation donna à Capucine l'occasion de protester faiblement :

— Mais Tienko et Lucio craignent que nous échouions si nous suivons votre plan, père. Nous risquons nos vies ! Tout ce qui compte, c'est que Deodato meure, non ? La manière...

— La manière d'y arriver compte au moins autant que le résultat en bout de ligne, la coupa Tadéo. N'en doute pas.

Capucine baissa la tête, rougissante, et Dahlia approuva vigoureusement son père : leur vengeance ne devait pas être exécutée en cachette. Il fallait que le monde entier apprenne la perfidie de Deodato et de ses conjurés.

— Acceptez-vous cela, Lucio ? soupira Amaryllis en se tournant vers l'héritier-machtli. Si nous nous en tenons au plan d'origine, resterez-vous avec nous malgré vos scrupules ? Il nous faut le savoir avant de poursuivre plus avant.

Lucio dil Senecalès lui jeta un coup d'œil surpris et la jeune fille lui retourna crânement son regard. L'héritier-machtli s'étonnait peut-être qu'elle prenne ainsi le contrôle de la situation, mais il n'aurait pas dû s'attendre à ce qu'elle joue les jeunes filles bien élevées, même en présence de son père ! Elle aurait cru qu'après plus d'une semaine à la côtoyer tous les jours, il aurait déjà mieux cerné sa personnalité...

Certes, il eût été souhaitable qu'Amaryllis laisse Dahlia parler la première : après tout, c'était elle, la reine du Techtamel ! Mais Dahlia n'aimait pas les formalités et, de toute façon, son mariage avec le roi Deodato n'avait été qu'une mascarade.

— En fait, j'espérais que mes... scrupules, comme vous le dites si bien, chère Amaryllis, réussiraient à faire changer d'avis votre père. Vous m'avez répété si souvent que les étoiles annonçaient la mort de Deodato... J'ai cru pouvoir épargner les autres.

— Allons donc, héritier-machtli ! Pour devenir roi, il vous suffit que votre oncle meure sans fils... Mais votre accession au trône n'est pas le but que nous poursuivons !

Amaryllis grimaça. La spontanéité de Dahlia aurait fait d'elle une pitoyable reine, si elle avait eu l'intention de gouverner le Techtamel après la mort de son époux ! Heureusement, cela n'avait jamais été dans ses intentions : la reine disparaîtrait, après l'assassinat de Deodato, et Lucio dil Senecalès serait couronné à sa place, étant le seul héritier légitime du royaume.

— La prophétie qui a marqué notre naissance a déclenché de tristes événements, résuma promptement l'astromancienne. La mort de notre mère, l'exil de notre père dans le désert du Tamaris et même, en ce qui concerne Capucine et moi, notre éprouvant passage dans le Labyrinthe de la péninsule dil Cielo ! Mais tout ça aurait pu être évité si notre famille n'avait été trahie à plusieurs reprises.

La jeune fille détourna le regard en constatant l'intensité de celui que Lucio posait sur elle. Elle devinait ses pensées et celles du valeureux Tienko : la vengeance des triplées leur avait semblé juste, quand il n'avait été question que de la mort du roi. Pour être honnête, elle-même devait avouer qu'elle doutait parfois de son père. La haine l'habitait... Certains jours, dans le désert, il avait semblé à Amaryllis qu'il s'accrochait à son triste passé parce que rien d'autre ne valait la peine d'occuper son temps. Comme si, en réalité, Tadéo Balamqui aspirait à la vengeance par habitude...

Elle ne pouvait blâmer l'ancien général de vouloir châtier Deodato. Un an auparavant, elle aussi avait ressenti l'impérieux besoin de se venger : sitôt sortie du Labyrinthe, elle avait entraîné Capucine vers le Techtamel, pour retrouver Dahlia et réparer les torts qu'on leur avait infligés. La jeune fille s'y connaissait assez en astromancie pour interpréter la position des planètes. Quand elle avait rencontré Capucine pour la première fois, elle savait très bien qu'un an plus tard, une croix astrale annoncerait la mort d'un roi... Dans le désert du Tamaris, il lui avait fallu mettre en œuvre tout son talent de persuasion pour convaincre Dahlia et Tadéo d'attendre que les astres soient favorables à leur vengeance avant de faire route vers le Techtamel. Mais, comme elle l'avait annoncé, cinq planètes formaient ces jours-ci une croix dans le ciel : Xipé, Alom, Tzacol, Chicuatli et Chiccan... Le temps de la vengeance était venu. Cependant, maintenant qu'elle connaissait les projets de son père, Amaryllis était pleine d'incertitude. Les astres ne lui permettaient pas de juger des velléités vengeresses du grand Tadéo : la croix ne concernait que le roi Deodato, elle ne disait rien des autres futures victimes.

— Eh bien, mon ami, on dirait que nous n'avons guère le choix ! s'exclama Lucio avec aigreur, se tournant vers le demi-elfe.

Tienko hocha la tête. Lucio avait raison : le grand Tadéo n'accepterait pas qu'ils se rétractent tous deux maintenant. Il préfèrerait probablement courir le risque d'assassiner le *neveu du roi dans le palais de sa mère plutôt que de craindre d'être à nouveau trahi avant d'avoir pu tuer Deodato...*

*Lorsqu'Amaryllis leur désigna la gerbe de fleurs séchées, déposée sur un plateau d'argent au centre de la chambre, le malaise de Lucio parut s'accentuer. Pourtant, la jeune fille ne lui avait pas caché qu'elle était sorcière des Herbes, ni même qu'elle avait déjà utilisé la sorcellerie enseignée par sa mère adoptive pour tuer...*

*— Donc, nous poursuivons comme prévu, conclut Amaryllis en se tournant vers son père. Dans ce cas... La première opération se déroulera en deux étapes. J'ai ensorcelé ce bouquet d'aubépines : vous le ferez brûler dans la cheminée de la cuisine, après vous être introduits dans le manoir de Los Monzanos.*

*— Le manoir de Los Monzanos ! s'étrangla Lucio en saisissant qui serait la première victime. Vous n'allez pas réellement...*

*Il s'interrompit lorsqu'il croisa le regard de Dahlia. Tadéo prit le bouquet des mains d'Amaryllis, l'air intéressé. Capucine préféra garder les yeux piteusement baissés. Tienko, le remarquant, entoura sa main de la sienne, pour lui insuffler du courage.*

*— Oui, nous allons réellement la tuer, murmura Tadéo. Il n'est que justice qu'elle meure la première.*

— Il y aura sans doute des dizaines de personnes au manoir, ce soir !

— Je sais, héritier-machtli, le coupa sèchement Amaryllis. Mais je connais très bien la sorcellerie des Herbes ! J'ai tout prévu, il n'y aura pas de bavure. D'ailleurs, n'ayez crainte : ce ne sera pas un meurtre sanglant.

Elle leva les yeux vers son père, nota son expression mitigée. L'ancien général n'apprécierait pas d'utiliser les sortilèges destructeurs concoctés par sa fille. Néanmoins, il avait besoin de la sorcellerie des Herbes : les méthodes que les mercenaires jugeaient honorables avaient échoué, seize ans plus tôt.

— Nous vous suivrons jusqu'au bout, général, jura Alcestes. Mais ne nous forcez pas à utiliser cette sorcellerie !

— Tu feras ce que je te dirai, trancha Tadéo. Si ma fille estime que la sorcellerie des Herbes va nous permettre de vaincre, je lui fais confiance.

Le souvenir de la première fois où elle avait utilisé ses connaissances pour enlever la vie s'imposa à Amaryllis et ses yeux s'embuèrent malgré elle. Elle serra les poings et attaqua le mercenaire d'une réplique acerbe, pour tenir le souvenir à distance :

— *De toute manière, à votre âge, Alcestes, quelle chance auriez-vous contre les gardes chevronnés du manoir de Los Monzanos ?*

*Le mercenaire dévisagea Amaryllis, le regard noir, et murmura des jurons que l'héritier-machtli n'aurait sans doute pas dû tolérer. Les insultes étaient l'arme des faibles ; la jeune fille ne ressentit aucune joie à avoir gagné cette première épreuve de volonté. Une tension presque palpable flottait dans la chambre... Dahlia n'avait pas quitté Alcestes Huaxin des yeux, toujours méfiante. Même s'il se trouvait sous les ordres de son père, cet homme ne lui plaisait pas. Et il lui répugnait de lui confier la première étape de leur vengeance.*

\* \* \*

La silhouette de la haute tour de garde se profilait contre le ciel nuageux, entourée de pigeons qui roucoulaient tristement. Le paysage avoisinant Fort-Tecallican n'avait rien de gai. La pierre des bâtiments était grise, s'agençant parfaitement au roc craquelé qui formait le sol. La sierra Gula prenait des allures de désert, dans les environs : la végétation se résumait à de longues herbes jaunâtres et à des cactus effilés, la faune comptait des dizaines d'espèces de reptiles, des vautours, des coyotes et des scorpions… Le fort surplombait un canyon au fond duquel coulait une rivière aux eaux boueuses…

Malgré tout, c'était un paysage que Dahlia aimait. Elle avait passé toute sa vie sur la frontière qui séparait le Techtamel du Siatek ; la sierra Gula lui était aussi familière que la tour de garde où la jeune fille avait grandi. Ce jour-là cependant, elle y revenait entourée des hommes du colonel Jionus, escortée comme une pouliche rétive. Elle avançait pourtant la tête haute, les cheveux toujours dissimulés sous son chapeau à larges bords et vêtue comme un homme, bien décidée à ne rien montrer de sa colère — ni de sa peur.

Les vigiles notèrent le petit groupe qui avançait sur le chemin caillouteux et crièrent qu'on ouvre la porte. Les deux battants s'écartèrent au bruit du treuil et Dahlia prit une profonde inspiration. Faire face au colonel lui demanderait du courage… Néanmoins, les choses se présentaient mieux que la fois précédente : les cinq hommes qui avaient intercepté la jeune fille, sur la route nord, l'escortèrent en silence jusqu'à la pièce centrale de la tour de garde, au deuxième étage, où le colonel Jionus avait son bureau. La confrontation entre eux se déroulerait donc devant relativement peu de témoins, ce dont se réjouissait Dahlia…

Ils croisèrent en chemin le palefrenier, menant deux poulains par la bride, puis une estafette au chapeau garni des plumes jaunes de la mort. À en juger par la poussière sur ses vêtements, le garçon avait parcouru un long chemin afin de porter ses mauvaises nouvelles. Dahlia l'envia. Elle évita cependant de croiser son regard et garda la tête haute. Même quand le petit groupe dut céder le passage à la vieille nourrice de la jeune fille, descendant laborieusement l'escalier de la tour, Dahlia ne souffla mot.

— Ah ! Bonne Chimalmat, donnez un peu de jugeote à cette enfant ! marmonna la nourrice en secouant la tête.

Dahlia elle-même aurait prié les neuf dieux si elle avait entretenu le moindre espoir que le colonel fasse preuve de clémence à son endroit. Elle le connaissait bien, elle savait qu'il se montrerait implacable. Le châtiment qu'il lui infligerait serait exemplaire, elle le devinait. Mais il serait aussi amplement mérité : c'était faire preuve de la pire des ingratitudes que de fuir le foyer familial. Le colonel Jionus, son père adoptif, lui répétait ce pieux précepte chaque fois qu'on lui ramenait sa fugueuse de fille.

Les deux premières fois où elle avait fugué, Dahlia n'avait guère eu le temps de s'éloigner de Fort-Tecallican avant qu'on la ramène, hurlant et se débattant comme une furie. Son père adoptif n'avait rien écouté de ses justifications et lui avait imposé un jeûne de vingt-quatre heures. Pour lui apprendre à « apprécier les bienfaits de son quotidien ». Cette fois-ci, pour augmenter ses chances de passer inaperçue, la jeune fille s'était vêtue comme un homme ; elle avait réussi à marcher jusqu'au poste de traite avant que les soldats ne l'interceptent... Elle supposait que la punition serait pire. Aussi se tint-elle immobile devant la table de travail du colonel Jionus, droite comme un soldat dont on inspecterait la tenue. Elle n'essaya pas d'expliquer à nouveau pourquoi elle souhaitait parcourir les routes du royaume.

Le colonel Jionus était déjà un homme mûr, seize ans plus tôt, lorsqu'on lui avait amené un poupon et un message du roi l'enjoignant à prendre soin de l'enfant abandonnée. Aujourd'hui, ses longs cheveux ramenés en queue de cheval étaient plus gris que noirs. Il ne quittait plus Fort-Tecallican depuis des années, acheminant ses ordres par écrit à ses subalternes disséminés le long de la frontière et en territoire ennemi. Un sorcier des Herbes vivait même dans la tour de garde depuis le dernier mois de l'Eau, soignant la toux persistante du colonel... On le respectait, pourtant. Et malgré sa rudesse et sa sévérité, Dahlia l'admirait.

Il termina de tracer quelques pictogrammes sur une carte déployée devant lui avant de lever les yeux sur sa fille adoptive. Ses prunelles noires la fixèrent et Dahlia serra les mâchoires, s'obligeant à ne pas baisser la tête — jamais elle n'avait vu le colonel Jionus baisser la tête devant qui que ce soit.

— C'est la troisième fois, soupira-t-il en se levant.

Dahlia ne répondit pas. Elle perçut le malaise des deux soldats qui l'encadraient ; ils auraient sans doute aimé qu'on les renvoie à leurs corvées, mais Jionus préférait qu'il y ait des témoins, lorsqu'il punissait sa fille. La gifle, attendue, fit monter les larmes aux yeux de Dahlia, cependant elle ne lui délia pas la langue.

— On peut corriger un animal rétif une fois, deux fois. Tu connais l'adage : « trois fois, c'est l'affaire des dieux ».

La deuxième gifle tira un gémissement à Dahlia.

— Je suis un homme pieux, admit Jionus. Mais tu ne parviendras pas à me faire avaler cette destinée. J'ai juré de t'éduquer convenablement et de te préparer au mariage, je tiendrai parole ! Ces vêtements ne sont pas dignes d'une jeune fille convenable !

Le colonel arracha le chapeau de Dahlia, libérant les deux tresses noires cachées en dessous. Elles lui descendaient jusqu'aux omoplates ; à nouveau, la jeune fille songea qu'il eût été préférable de couper ses cheveux une fois pour toutes, afin de ne plus avoir à toujours les dissimuler...

— Même un porcher ne voudrait pas de toi, affublée de la sorte ! À qui donc vais-je te marier, avec tes manières rebelles ? Que Batzhun me damne, je devrai te garder sous mon toit jusqu'à ce que la mort me délivre de tes bêtises !

Dahlia sourcilla : elle n'entendait pas souvent son père adoptif jurer au nom du Seigneur-Singe. Elle se demanda si sa fugue seule l'irritait ou si le message de l'estafette avait empiré les choses. Jionus la contempla un instant, attendant peut-être qu'elle se décide à parler. Mais comme la jeune fille s'était juré de ne plus se ridiculiser à ses yeux en implorant sa clémence, il finit par perdre patience. Il la saisit par le bras, la remorqua jusque dans l'escalier et l'obligea à monter à sa chambre — où il l'enferma à clef. Ce n'était pas la première fois. Dahlia se hissa sur le hamac suspendu près de la fenêtre et envoya ses bottes valser à travers la pièce.

— J'en ai assez d'avoir à envoyer des hommes à tes trousses, gronda Jionus, de l'autre côté de la porte.

« Vous n'avez qu'à vous en abstenir, dans ce cas ! » songea Dahlia. Elle fouilla dans sa besace et en tira une galette de maïs et de raisins, volée aux cuisines du fort le matin de son départ. Elle n'en prit qu'une bouchée : dans sa colère, son père adoptif risquait de prolonger le jeûne, mieux valait faire durer les rations.

— Tu resteras enfermée jusqu'à ce que je trouve un homme disposé à t'épouser, conclut Jionus. Tu prendras tous tes repas dans ta chambre, car je n'ai plus envie de te voir.

Dahlia haussa les sourcils et se redressa à demi, sous le coup de la surprise. C'était un châtiment hors du commun, même pour un homme aussi sévère que le colonel. Elle avait l'habitude d'être punie : Jionus ne savait comment éduquer les enfants, cependant il connaissait diverses manières militaires de se faire obéir. Mais cette extrême rigueur avait exacerbé sa tendance à la révolte. La jeune fille lui avait plus d'une fois tenu tête, au désespoir de sa nourrice, et le colonel avait fait de son mieux pour l'obliger à plier devant lui. Néanmoins, c'était la première fois qu'il parlait de se débarrasser d'elle.

Dahlia savait depuis toujours que si elle avait grandi à Fort-Tecallican, c'était à cause du roi Deodato : il l'y avait envoyée alors qu'elle n'était encore qu'un bébé. Cela faisait en quelque sorte d'elle une pupille royale, même si le roi ne s'était pas déplacé plus de deux fois pour la rencontrer, et elle appréciait cet honneur. Pourtant, la jeune fille songeait souvent que Deodato aurait pu lui choisir une famille adoptive plus normale. Elle eût pu être envoyée dans un palais, ou dans une ferme prospère, quelque part où il y aurait eu d'autres enfants... Et une mère... À une certaine époque, elle avait haï le roi à cause de la vie qu'il lui avait imposée. Mais au bout du compte, la jeune fille devait admettre que son existence à Fort-Tecallican lui avait convenu à merveille, jusqu'ici.

Le fort était situé à un jet de pierre de la frontière entre le Techtamel et le Siatek, on y vivait donc constamment sur le qui-vive. Les attaques-surprises des commandos siates avaient été monnaie courante, une dizaine d'années auparavant, et le colonel Jionus avait permis à Dahlia d'apprendre les rudiments du maniement des armes dès son plus jeune âge, bien qu'elle fût une fille. Il l'avait tenue loin des armes à feu, cependant elle se débrouillait bien avec une épée, un poignard ou un arc ; Dahlia en tirait une grande fierté. De plus, à force de côtoyer les estafettes qui parcouraient le royaume, la jeune fille avait acquis une bonne connaissance du pays. Elle souhaitait voir un jour de ses propres yeux les villes qu'ils évoquaient quand elle les questionnait. Elle rêvait également de voyager, d'explorer des contrées inconnues et d'y vivre des aventures... À présent, Dahlia enrageait de se retrouver coincée à Fort-Tecallican par ordre du roi.

La perspective d'un mariage — que son père adoptif évoquait devant elle pour la première fois — suscitait chez elle des sentiments mitigés. Certes, cela lui ouvrirait de nouveaux horizons et l'amènerait loin du fort. Cependant, les épouses techtas restaient traditionnellement chez elles, gérant la maisonnée et veillant sur les enfants. Elles ne couraient pas les routes. Cette existence n'intéressait pas du tout Dahlia. Elle passa donc le reste de la matinée à se demander s'il valait mieux s'enfuir à nouveau, pour éviter un mariage forcé, ou attendre après la cérémonie, dans l'espoir qu'il lui soit plus simple d'échapper à la surveillance de son époux qu'à celle du colonel Jionus...

Le lendemain matin, Dahlia s'éveilla aux cris des vigiles et au cliquetis des chaînes du treuil. Elle se posta à sa fenêtre, se penchant dangereusement au-dessus du vide afin d'apercevoir l'entrée du fort. À sa grande surprise, ce ne fut pas un bataillon de retour de mission qui pénétra dans la cour intérieure, mais un groupe élégant, battant pavillon royal. Au centre, monté sur un magnifique destrier Pinto, un jeune homme vêtu d'un pourpoint blanc en imposait particulièrement par sa prestance.

Dahlia supposa immédiatement qu'il s'agissait d'un officier supérieur. D'ailleurs, comme pour confirmer son intuition, le colonel Jionus sortit de la tour de garde afin d'accueillir en personne le nouvel arrivant. La jeune fille n'entendit pas ce qu'ils se dirent, cependant son père adoptif l'entraîna aussitôt à l'intérieur. Perplexe, elle s'installa à nouveau dans son hamac, se demandant qui pouvait être ce séduisant visiteur.

Elle n'eut pas à attendre longtemps pour l'apprendre. Ina, servante du colonel et fréquente complice des fugues de Dahlia, vint la chercher quelques minutes plus tard, avec la nouvelle que son père adoptif souhaitait la voir. La jeune fille en resta ébahie. Jionus avait juré qu'elle ne sortirait plus, à moins que quelqu'un ne la demande en mariage !

— Pas déjà ? C'est impossible !

L'officier au pourpoint blanc ne ferait sans doute pas un plus mauvais époux que n'importe qui d'autre, mais Dahlia hésitait toujours quant à la meilleure façon de préserver sa précieuse liberté !

— Ina, ai-je le temps de fuir ?

— Je n'y songerais plus, mademoiselle, si j'étais à votre place, trancha la servante.

Sans commenter le désordre dans la chambre, elle sortit une robe de la penderie et aida Dahlia à la revêtir. Puis, sans une parole d'encouragement, elle escorta la jeune fille dans l'escalier — et cette dernière eut l'impression que son alliée habituelle était passée dans le camp adverse.

## 2

# LA DEMANDE EN MARIAGE

Lorsqu'elle vit le visiteur de près, Dahlia déchanta. Le jeune homme n'était pas aussi beau qu'elle l'avait cru. Sa chevelure, cuivrée et lisse, attirait certes le regard : presque tout le monde avait les cheveux et les yeux noirs, dans la sierra Gula. De même, il avait le teint exceptionnellement pâle pour un Techta. Mais l'officier avait la peau huileuse et le pli boudeur de ses lèvres lui donnait l'air d'un enfant gâté. Il déplut à Dahlia dès que leurs regards se croisèrent. La jeune fille adopta donc une attitude froide qui, elle l'espérait, découragerait le visiteur de demander sa main...

— Vous vouliez me voir, père ? demanda-t-elle néanmoins avec la servilité que l'on attendait d'elle.

Jionus inspecta la tenue de sa fille adoptive d'un rapide coup d'œil et sourit, apparemment satisfait. Dahlia n'avait pas pris le temps de se coiffer et son épaisse chevelure noire ondulait librement jusqu'à sa taille, mais ses boucles étaient assez dociles, aujourd'hui, pour que le colonel n'y trouve rien à redire. De même, sa robe ample, fort simple, convenait mal au statut royal du visiteur, cependant sa teinte orangée mettait la beauté de la jeune fille en valeur, ce qui en faisait tout de même un bon choix pour la circonstance. Ina y avait sûrement songé.

— Dahlia, laisse-moi te présenter le maréchal Ramondo dil Minetti. Il arrive directement de la capitale afin de te rencontrer.

La jeune fille feignit d'être intéressée. Elle se prétendit émerveillée qu'un homme aussi jeune se soit déjà hissé à un grade si important et fit une révérence parfaite. Le maréchal la dévisagea longuement, l'air d'un homme qui flaire une bonne affaire, mais craint d'être floué... Dahlia en fut offusquée. Elle s'efforça de rester polie, cependant elle ne possédait aucun talent pour dissimuler ses sentiments. Impassible, elle subit l'examen du maréchal — mais la colère brillait dans ses yeux.

— Je m'attendais à rencontrer ici une orpheline, jeune et naïve, maugréa l'homme. Et voilà que je me retrouve devant une jeune fille qui me regarde avec le même air sévère qu'un vieux général ! Mais cela ne devrait pas m'étonner : l'armée lui coule dans les veines. Le roi s'en est remis à mon bon jugement... Et je dois dire que je découvre Dahlia tout à fait à mon goût !

La jeune fille, perplexe, tourna les yeux vers son père adoptif. Elle avait la désagréable impression que le maréchal ne s'adressait pas vraiment à elle mais poursuivait plutôt sa conversation avec Jionus. Et de fait, ce dernier hocha la tête avec un contentement manifeste. Il croisa les bras, s'appuya contre une table de travail et dévisagea Ramondo dil Minetti avec une expression que Dahlia connaissait bien : le colonel attendait une offre intéressante.

— Colonel Jionus, je me trouve à Fort-Tecallican afin de demander officiellement la main de votre fille adoptive, au nom du roi Deodato du Techtamel.

Dahlia laissa fuser une exclamation stupéfaite et même le colonel arbora un air ahuri. Il exigea aussitôt quelques précisions :

— Comprenez mon trouble, maréchal Ramondo. J'ai toujours cru que si le roi m'avait envoyé Dahlia, c'était parce qu'elle était sa bâtarde !

Le mot, même prononcé de manière aussi désinvolte, blessa la jeune fille.

— Oh non ! Détrompez-vous ! s'exclama dil Minetti, amusé. Le roi vous a tenu dans l'ignorance afin de ne pas vous inquiéter... Et aussi pour protéger sa future fiancée. Elle est en réalité la fille du général Tadéo Balamqui et de Cinzia dal Bonfiliar.

Dahlia releva vivement les yeux et dévisagea le maréchal, envahie par une gratitude difficile à contenir. Elle faillit le bombarder de questions concernant ses parents, puisqu'il semblait connaître son passé. Elle se retint en songeant que le colonel Jionus n'aurait pas apprécié une telle fougue. Néanmoins, la joie de Dahlia dut transparaître dans son regard, car lorsque son père adoptif la contempla, il secoua tristement la tête. Il lui recommanda de ne parler de ses parents à personne.

— Dans ces conditions, évidemment, Dahlia *doit* épouser le roi, souffla le colonel. Et je l'admire d'autant plus de s'en tenir à sa promesse ! D'autres que lui auraient choisi des solutions plus expéditives...

Dahlia ne comprenait rien aux sous-entendus de son père adoptif. Mais le colonel, devinant sa perplexité, lui conseilla de ne poser aucune question : il n'avait pas l'intention de lui fournir de réponses. À son avis, il incombait au roi lui-même de donner les informations nécessaires à son épouse, s'il le jugeait prudent. Confuse et vexée, Dahlia protesta que ce n'était pas juste :

— J'ai ignoré mon identité toute ma vie et maintenant, vous jouez un jeu cruel en ne m'en révélant que des bribes !

— Ton époux saura ce qu'il convient de te dire, répéta le colonel. Maréchal Ramondo, je m'en vais de ce pas aux cuisines faire préparer un festin en votre honneur...

— Oh non ! Je ne reste pas. Je dois poursuivre ma route vers le sud, d'autres obligations m'appellent.

— Vers le sud ? Mais... Et Dahlia ?

— Le roi enverra sa cousine sous peu, lorsqu'il recevra confirmation de ma part que tout s'est bien passé ici.

— Sa cousine. C'est très bien, dans ce cas.

— Le mariage devrait avoir lieu à Zollan, dans un mois environ.

— Un mois ! s'exclama la principale intéressée. C'est trop court !

Le colonel la foudroya du regard, mais s'abstint de la gronder pour son manque de retenue. Dahlia porta la main à son front — elle avait la tête qui lui tournait. Un mois, ce n'était pas beaucoup pour planifier une autre fugue ! La jeune fille ne doutait pas qu'Ina saurait la conseiller, comme elle le faisait toujours, et qu'avec l'aide de son amie elle pourrait échapper à ce mariage...

Car Dahlia n'avait pas l'intention de se marier. Pas même pour se plier à la volonté du roi. Deodato ne paraissait pas spécialement désireux de l'épouser, de toute façon : si elle comprenait bien les allusions de Jionus, il ne s'y résignait que pour honorer une vieille promesse. La jeune fille ne ressentait aucune envie d'emménager dans un palais au bord de la mer et encore moins de devenir reine. Elle ne voulait pas se retrouver à la merci du bon vouloir de son époux... Et l'idée d'épouser un vieil homme lui répugnait : le roi Deodato gouvernait le Techtamel depuis vingt ans — Dahlia avait eu vent des célébrations grandioses de Zollan qui avaient célébré cet anniversaire —, il ne pouvait donc guère être très jeune, il devait au moins frôler la quarantaine...

— Dans un mois, oui, répondit le maréchal dil Minetti. Les astromanciens du roi ont étudié la position des planètes. D'Alom et de Xipé, en particulier. Ils en ont conclu que Deodato doit se marier rapidement.

— Xipé, vraiment ? s'étonna Jionus.

Xipé, le miroir rouge qui fume, était la planète protectrice des armées. Que sa position puisse déterminer la date d'un mariage avait en effet de quoi surprendre. Les astromanciens du roi étaient toutefois des hommes fort savants, réputés pour leur sagesse. Aucune décision importante ne se prenait sans qu'ils fussent consultés ; le père adoptif de Dahlia était bien placé pour le savoir, puisqu'il demandait la permission d'attaquer le Siatek depuis des lunes, permission qui lui était invariablement refusée à cause de ce que les astromanciens lisaient dans le ciel ! L'époque n'était pas à la guerre, apparemment. Il fallait subir les attaques siates sans répliquer, car le Techtamel courrait à sa perte s'il traversait la frontière...

— Dahlia, je crois que tu peux retourner à ta chambre, intervint le colonel Jionus.

Il appela Ina, qui ouvrit aussitôt la porte — elle avait sans doute épié toute la conversation. Le colonel lui demanda de raccompagner sa fille adoptive à sa chambre et Dahlia hocha la tête docilement. Elle salua le maréchal dil Minetti comme il convenait avant de suivre Ina... Mais quand les deux filles se retrouvèrent seules dans la chambre en haut de l'escalier, Dahlia laissa éclater sa colère. Elle enleva rageusement sa robe et la jeta dans un coin. Elle revêtit ses pantalons masculins en grognant :

— Tu te rends compte, Ina ? J'aurais pu n'être qu'un animal vendu aux enchères ! Je suis étonnée que le maréchal n'ait pas demandé à examiner ma dentition avant de prendre sa décision !

— Calmez-vous, mademoiselle. Je reviendrai vous visiter ce soir... En attendant, nous devrions brûler ces pantalons, maintenant que vous allez épouser le roi.

— Tais-toi ! Je ne serai pas reine ! Cette fois, j'ai une raison impérative de quitter Fort-Tecallican. La cousine du roi doit venir me chercher... Combien de jours de voyage nous séparent de Zollan, selon toi ?

— Six, je crois.

— J'ai donc quinze jours, tout au plus, pour organiser un plan d'évasion parfait.

Ina soupira et lui recommanda à nouveau de se calmer. Elle promit de lui apporter du chocolat en cachette, pour agrémenter son repas du soir, mais Dahlia l'écoutait à peine. Et quand la servante fut partie, sa fébrilité augmenta d'un cran. Elle passa la journée à réfléchir à ses dernières fugues, cherchant à déterminer ce qui avait mal tourné pour elle. Quand son amie revint, elle avait plusieurs nouvelles stratégies à lui proposer.

Mais à la grande surprise de la jeune fille, sa complice habituelle refusa cette fois de collaborer avec elle. Ina avait changé. La servante ne la dévisageait plus de la même façon, son regard évitait de croiser le sien...

— J'ai tout entendu, finit-elle par avouer. Je sais qui vous êtes.

— Comment, qui je suis ? Et pourquoi me vouvoies-tu, tout à coup ?

— Vous ne pouvez pas vous enfuir, soupira Ina sans répondre à la question. Vous êtes la fille du grand Tadéo... *Il faut* que vous épousiez le roi ! Savez-vous qu'il vous attend depuis seize ans ?

Dahlia fronça les sourcils. Ina avait dix ans de plus qu'elle et jouissait d'une plus grande liberté. Elle se rendait parfois dans les villages de la sierra Gula qui n'étaient pas trop éloignés de Fort-Tecallican et les soldats du fort lui parlaient sans gêne... La servante connaissait donc forcément plus d'histoires et de ragots que la fille adoptive du colonel Jionus.

— Que veux-tu dire ?

Ina ouvrit la porte afin de s'assurer que nul n'épiait leur conversation et vint s'installer près de la jeune fille. Cette fois, ses yeux brillaient et elle osait enfin regarder franchement Dahlia.

— Un sorcier a fait une horrible prophétie, lors de votre naissance, expliqua la servante en chuchotant. Cela concernait l'avenir du royaume entier ! Pour calmer tout le monde, le roi a alors juré de vous épouser, lorsque vous seriez en âge, de façon à déjouer la malédiction de la prophétie... Vous comprenez ? Vous êtes une menace pour le Techtamel ! Imaginez les conséquences si vous deviez échapper à ce mariage !

Dahlia haussa les sourcils et grimaça, peu convaincue. Les révélations d'Ina ressemblaient trop à des superstitions de village pour qu'elle y prête foi. Néanmoins, quand elle demanda plus de détails, elle aussi le fit à voix basse.

— J'ignore ce dont il s'agit vraiment, avoua Ina. Avant de savoir que cette prophétie vous concernait, elle ne m'intéressait pas ! Mais tout le monde en a entendu parler. Tout le monde sait bien que la future reine du Techtamel sera quelqu'un de très dangereux, mais que le roi l'épousera quand même, se sacrifiant pour le bien du royaume...

Cette partie était familière à Dahlia, en effet. Il lui semblait avoir entendu cette histoire auparavant : on prétendait que le roi épouserait un jour sa pire ennemie, pour épargner des malheurs innommables au royaume. Mais, comme Ina, la jeune fille ne s'était jamais beaucoup intéressée à ces racontars, sauf pour se demander si le roi épouserait une princesse siate.

— Est-ce que je suis la pire ennemie du roi, à ton avis ? grogna Dahlia. Tout ça ne tient pas debout et quelqu'un finira bien par s'en apercevoir. Mais en attendant, il n'est pas question que je me marie.

À en juger par l'air réprobateur d'Ina, la jeune fille ne pourrait compter sur son aide, cette fois, pour quitter Fort-Tecallican. Fuir la tour de garde serait plus ardu sans son alliée, mais Dahlia n'allait pas baisser les bras maintenant. Elle tenait trop à sa liberté.

* * *

Il ne pleuvait pas souvent sur la sierra Gula, en dehors de la saison des pluies. Cependant, lorsque cela arrivait, le mauvais temps pouvait durer jusqu'à deux jours consécutifs. Les abords de Fort-Tecallican se transformaient alors en champs de boue striés de ruisseaux et chacun restait chez soi en attendant que cela finisse.

Comme les autres, Dahlia détestait la pluie. Toutefois, quand les averses commencèrent, elle y vit une chance inespérée et résolut d'en profiter pour s'enfuir. La cousine du roi était attendue dans la semaine... La jeune fille ne pouvait se permettre de tergiverser longtemps. Elle essaya de convaincre Ina une dernière fois, mais quand la servante lui répéta qu'elle devait épouser le roi pour le bien du royaume, la jeune fille se jeta sur elle et la bâillonna

avec un bout de tissu déchiré, prélevé à sa li-
terie. Puis, utilisant les techniques enseignées
par le colonel Jionus, elle la menotta avec
d'autres lambeaux de coton et la ligota dans
la penderie. Elle lança un ultime regard à son
amie avant de refermer la porte de l'armoire,
se demandant s'il convenait de s'excuser avant
de partir... Elle haussa finalement les épaules
et s'éclipsa en vitesse.

La tour de garde n'était guère éclairée,
de nuit. Une torche brûlait à chaque étage,
au-dessus de la première marche de chaque
volée d'escalier, mais cela suffisait à peine à
éviter les trébuchements. Dahlia s'en réjouissait chaque fois qu'elle tentait de fuguer. Elle
aurait aimé emprunter un chemin différent,
pour augmenter ses chances de réussite, mais
à moins de passer par la fenêtre — et la jeune
fille ne voulait pas se casser le cou en escala-
dant la paroi sous la pluie —, l'escalier restait
la seule issue pour quitter sa chambre. Cette
fois, cependant, elle grimpa vers la salle des
gardes au lieu de descendre directement au
rez-de-chaussée. Dahlia espérait s'y cacher, le
temps que l'on découvre sa fuite et que l'on
se lance à sa poursuite... Son plan comportait
des failles immenses, cependant la jeune fille
manquait de temps pour élaborer quoi que ce
soit de mieux. Elle prit la torche sur le mur,

à côté de la porte bardée de métal qui fermait la salle des gardes, et l'éteignit avec ses pieds avant d'en dissimuler les restes dans un coin. Puis, dans la noirceur absolue, elle attendit.

Dans un fort, la vie privée se résumait à peu de choses. Enfant, Dahlia s'amusait à écouter les bruits qui résonnaient jusqu'à sa chambre, essayant de deviner ce qui les causait. Elle entendait son père adoptif ronfler, lorsqu'elle s'éveillait par hasard au milieu de la nuit, elle entendait aussi les gardes marcher au-dessus de sa tête et discuter entre eux. Le plancher étouffait les mots, évidemment, sauf quand des disputes éclataient dans la salle de gardes... Ce soir, la jeune fille n'eut qu'à tendre l'oreille pour apprendre qu'un seul homme s'y trouvait. Elle attendit patiemment, accroupie dans un coin, que son père adoptif passe à sa chambre lui souhaiter une bonne nuit à travers le battant de la porte.

Cela prit du temps ; le colonel respectait en général un horaire aussi immuable que la course du soleil, cependant avec le mariage inattendu et imminent de Dahlia, ses habitudes devaient avoir été chamboulées. Néanmoins, il finit par monter à la chambre de sa fille adoptive. Il frappa deux fois en appelant son prénom, avant de jurer et d'entrer dans la chambre dans un grand fracas. Dahlia se colla davantage au mur, comme si elle avait pu se fondre dans la pierre. Elle entendit les exclamations de colère du colonel Jionus quand il découvrit Ina, puis les ordres qu'il lança dans l'escalier, à l'intention de ses soldats. Celui qui se trouvait dans la salle des gardes répondit dans l'instant : il dévala l'escalier afin de se lancer à la recherche de la fugueuse.

— Celui qui lui mettra la main au collet aura droit à une prime d'alcool, claironna le colonel.

Dahlia sourcilla. Les soldats commençaient sûrement à en avoir marre de courir après la fille du colonel. Mais pour de l'alcool, ils la rechercheraient toute la nuit, s'il le fallait. La jeune fille aurait vraiment dû mieux réfléchir à son plan d'évasion.

Lorsque le silence fut à peu près retombé sur la tour, Dahlia se glissa dans la salle des gardes afin d'y choisir ses armes. Elle ignora les mousquets, leur préférant des couteaux de tir et une dague bien affûtée. Elle revêtit un poncho de toile huilée et un des chapeaux à large bord qu'elle affectionnait. Puis, enfin, elle descendit précautionneusement l'escalier jusqu'au rez-de-chaussée, éteignant les torches les unes après les autres. Elle allait la dague à la main — mais pour être honnête, elle devait avouer que jamais elle n'aurait pu se résoudre à blesser l'un des habitants de Fort-Tecallican, pas même pour fuir le destin qu'on lui promettait. Elle espérait cependant que si elle croisait quelqu'un, elle saurait assez bien feindre la colère pour qu'on l'en croie capable...

Hélas pour elle, la première personne qu'elle rencontra lors de sa dernière tentative de fuite fut le colonel Jionus lui-même. Il ne crut pas une seconde que sa fille adoptive pourrait lui transpercer la gorge de son couteau, pas même en le lui jetant à la tête. Il était bien placé pour savoir qu'elle lançait comme une chèvre : il avait essayé de lui enseigner l'art du lancer des couteaux jusqu'à ce que le manque de talent de Dahlia le pousse à renoncer.

Elle termina la nuit les bras attachés à un crochet, dans le bureau du colonel, le dos zébré de trois coups de fouet.

Dahlia était ainsi punie pour la première fois ; son père adoptif avait dû juger qu'elle insultait le roi en cherchant à fuir son mariage... Mais les coups de fouet ne servirent à rien : serrant les dents chaque fois que le cuir mordait sa peau, la jeune fille s'était juré de résister quand même à l'ennuyant destin de femme que l'on tentait de lui imposer. Cette nuit-là, quand les soldats cessèrent de faire les cent pas devant la porte de leur colonel et que celui-ci se mit à ronfler, Dahlia adressa ses prières à Yolihuani-le-Pourvoyeur, source de vie et d'endurance. Les poings serrés et la rage au ventre, elle promit de lui sacrifier le cœur du premier ennemi qu'elle tuerait de ses propres mains s'il lui accordait la liberté qu'elle souhaitait tant. Ce n'était pas un serment que l'on faisait à la légère ; Dahlia trouva difficilement le sommeil.

# 3

# LE RÉCIT DE CANCHETTA

L'aclla Canchetta était la cousine du roi, mais aussi une dame chargée de plusieurs responsabilités royales. Elle arriva à Fort-Tecallican par une magnifique et douce soirée. Un vent tiède soufflait sur la sierra Gula et le soleil couchant teintait de cuivre l'entièreté du paysage ; quelques soldats s'étaient réunis dans la cour pour faire de la musique et les accords lancinants des guitares montaient jusqu'à la chambre de Dahlia, lui gonflant le cœur de chagrin. Elle se morfondait dans sa chambre depuis six jours, absolument seule depuis son ultime essai pour fuir la tour de garde. À cause des blessures à son dos, elle ne dormait plus dans son hamac, mais sur des coussins soyeux — son père adoptif veillait toujours à son confort, même s'il se fichait de ce qu'elle ressentait.

La venue de l'aclla Canchetta brisa la langueur du soir : son équipage s'annonça à grand renfort d'appels, de l'autre côté de la porte du fort. Les soldats postés au sommet du mur d'enceinte interpellèrent à leur tour leurs compagnons d'armes, enjoignant les musiciens à reprendre leur poste et à ouvrir la porte. Le cliquetis des chaînes remplaça le son des guitares et finalement, les sabots des chevaux résonnèrent sur la pierre de la cour intérieure. Dahlia se leva et se pencha à sa fenêtre afin d'assister à l'arrivée tant attendue de la cousine du roi.

En six jours de captivité, la jeune prisonnière avait eu le temps d'imaginer l'aclla Canchetta. Elle s'attendait à voir arriver une femme à peine plus jeune que sa vieille nourrice... Dahlia avait en outre supposé que l'aclla serait richement vêtue. Elle se trompait : malgré son statut royal, Canchetta n'arborait aucun signe ostensible de richesse. Lorsqu'elle descendit de son carrosse, Canchetta était coiffée d'un sévère chignon et sa robe noire n'était ornée que de quelques perles sur son corsage. Dahlia s'attendait à lui être présentée le soir même — mais en cela aussi elle avait tort. Le colonel céda ses appartements à la visiteuse. La prisonnière, cloîtrée juste un étage au-dessus, put les entendre discuter jusqu'à très tard dans la nuit. Toutefois, l'aclla Canchetta ne daigna visiter la fiancée du roi que le lendemain matin.

Elle s'annonça peu après l'aube, en frappant doucement à la porte de Dahlia. La jeune fille, encore couchée au milieu des coussins, voulut répondre qu'elle ne pouvait ouvrir elle-même la porte, mais le cliquetis des clefs lui apprit que l'aclla n'était pas seule. La serrure joua et la porte s'ouvrit sur Ina. La servante s'effaça rapidement devant la cousine du roi, cependant la prisonnière remarqua que son ancienne alliée n'osait toujours pas la regarder en face.

— Merci, Ina.

L'aclla Canchetta possédait une voix nasillarde mais ferme. Une voix faite pour commander, aurait jugé le colonel Jionus. Dahlia fit la moue : si elle se révélait aussi autoritaire que sa voix le laissait présager, leur relation ne serait pas paisible.

— Je referme derrière vous, madame.

— Ce ne sera pas nécessaire, Ina. Merci.

— Mais le colonel...

— Je n'ai aucune envie de passer la matinée enfermée à double tour dans cette chambrette !

La servante n'osa protester davantage. Elle s'enfuit presque dans l'escalier avec son trousseau de clefs et Dahlia sourit méchamment. À bien y penser, la fermeté de l'aclla pourrait lui servir, si elle parvenait à l'amadouer. La cousine du roi devina sans doute ses pensées, car elle la prévint :

— En revanche, nous devrons bel et bien rester ici toute la matinée. Le colonel m'a prévenue de ton... criant besoin de liberté.

Dahlia ouvrit la bouche pour protester, ne trouva rien de convaincant à dire et préféra finalement se taire. Elle dévisagea avec attention sa visiteuse : Canchetta paraissait du même âge que son père adoptif et de nombreuses rides marquaient le pourtour de ses yeux et de sa bouche. Les années passées au service du roi en tant que aclla — c'est-à-dire substitut de la reine dans tous les domaines où une femme devait prendre des décisions — avaient donné à son regard une acuité particulière. Dahlia l'observa tandis qu'elle détaillait le mobilier réduit de la chambre, choisissant de s'asseoir sur une chaise droite près de la fenêtre, puis aussi lorsqu'elle tourna son regard vers la jeune prisonnière. Elle ne sembla pas approuver la robe de nuit que Dahlia portait, mais Ina revint avec le déjeuner avant qu'elle n'ait formulé le moindre commentaire.

— Ferme la porte en sortant, mais ne la verrouille pas. Dahlia va s'habiller avant de manger.

La jeune fille fronça les sourcils. Depuis qu'elle était captive de sa chambre, elle aimait au contraire déjeuner en robe de nuit, paresseusement étendue au milieu des coussins... La mine sévère de l'aclla la convainquit une nouvelle fois de ne pas protester. Cependant, il n'était pas question qu'elle se dévête devant une étrangère. L'aclla Canchetta s'adoucit et lui expliqua qu'elles n'étaient pas totalement des étrangères :

— J'ai bien connu ta mère. Oh, comme tu lui ressembles ! Tu es tout son portrait, aussi belle qu'elle l'était à ton âge.

— Et mon père ? Vous l'avez connu aussi ? Le maréchal dil Minetti a mentionné qu'il était général...

— Il a dit ça, vraiment ?

L'aclla Canchetta farfouilla dans le plateau du déjeuner. Elle pigea tous les raisins noirs. Dahlia, qui n'avait pas souvent l'occasion de manger des fruits frais, se hâta d'enfiler une robe pour déjeuner avec sa visiteuse.

— Il a dit que mon père était le général Tadéo, insista-t-elle.

— C'est exact. Tu es la fille du général Tadéo Balamqui. D'ailleurs, tu as la même fougue que lui...

L'aclla soupira. Elle observa la façon dont Dahlia épluchait sa banane, lui suggéra d'utiliser un couteau plutôt que ses dents pour fendre la pelure...

— Je les ai connus tous les deux. J'ai assisté ta mère lors de son accouchement, au palais de Zollan. C'est pourquoi je t'ai dit que nous nous connaissions déjà ! J'avoue que j'avais très hâte de découvrir quelle jeune fille tu étais devenue.

— Il n'est pas courant que l'aclla serve de sage-femme à l'épouse d'un général. Ma mère était donc une femme importante, avant sa mort ?

Dahlia allait à la pêche : personne ne lui avait encore confirmé le décès de sa mère et de son père. Elle supposait seulement qu'il devait en être ainsi, puisque le roi l'avait confiée au colonel Jionus.

— Le *général* était un homme important, la corrigea Canchetta avec un sourire. Peut-être l'homme le plus important du royaume, après le roi ! Ils étaient tous deux de grands amis. Le soir... Le soir de ta naissance, tes parents étaient invités au palais, comme cela arrivait souvent. Il m'a semblé normal d'assister la belle Cinzia pour son premier accouchement, d'autant que tu étais très attendue : afin de sceller leur amitié, le roi Deodato et le général Tadéo s'étaient entendus pour que tu épouses le roi, une fois en âge de te marier ! Et voilà que ce beau jour est arrivé !

— Et la prophétie, dans tout cela ?

— Ah ! Tu as entendu parler de la prophétie. Le roi a cru que Fort-Tecallican serait assez éloigné de la capitale pour que les ragots ne parviennent pas jusqu'ici, mais on dirait que c'est impossible.

— Il y a donc bel et bien une prophétie épouvantable à mon sujet ?

— Épouvantable... Oh, pas tant que ça !

L'aclla raconta que quelques jours avant la naissance de Dahlia, le roi avait donné un banquet au palais en l'honneur d'un éminent sorcier de l'Eau. L'homme n'était que de passage dans la capitale, tous les gens importants du royaume souhaitaient profiter de l'occasion pour lui témoigner leur respect et attirer la chance sur leur famille... Tadéo Balamqui et son épouse assistaient donc au banquet.

— Je me souviens : elle était magnifique avec son ventre énorme ! Nous la taquinions toutes à ce sujet... Le roi aimait bien Cinzia. Il a voulu lui rendre hommage en lui confiant le privilège de servir le sorcier, mais aussitôt qu'elle s'est approchée de lui, portant une carafe de cristal remplie d'eau pure, le liquide s'est troublé jusqu'à devenir opaque. Et la précieuse carafe a éclaté !

Le sorcier avait alors posé les mains sur le ventre de Cinzia dal Bonfiliar et avait prédit qu'elle donnerait naissance à une fille si belle que plusieurs hommes mourraient pour elle. Dahlia haussa les sourcils ; la version de la prophétie telle que l'aclla la lui présentait ne ressemblait pas à celle d'Ina. En fait, dans la bouche de Canchetta, cela sonnait plutôt comme une histoire à l'eau de rose. Seule l'idée que des hommes mourraient à cause d'elle teintait cette prophétie de danger.

— Alors... Je ne représente pas une menace pour le royaume ?

— Une menace ! Pauvre enfant, tu ne le crois pas sérieusement ? Bien des gens ont voulu interpréter les paroles du sorcier, après ta naissance. Et certains ont prétendu qu'elles annonçaient une guerre pour le Techtamel. Mais est-ce que tu vas déclencher une guerre, à ton avis ? Je ne le pense pas !

Dahlia ne put qu'en convenir. Toutefois, les explications de la cousine du roi ne disaient rien sur ce qu'il était advenu de ses parents. L'aclla Canchetta se troubla quand la jeune fille le lui demanda. Elle soupira que le roi Deodato lui avait confié une difficile mission en l'envoyant rencontrer sa fiancée.

— Je déplore tout ce secret dont on t'a entourée.

— Pas autant que moi, grogna Dahlia.

— Ne préfèrerais-tu pas que je te parle de Zollan, plutôt ? Après tout, c'est là-bas que tu vas vivre. Tourne-toi vers l'avenir, garde le passé pour les jours de pluie...

— Aclla ! Je sais que mes parents sont morts, autrement je n'aurais pas grandi à Fort-Tecallican ! Dites-moi comment cela s'est passé, qu'on en finisse, et je ne vous ennuierai plus avec ces tristes événements.

L'aclla Cancheta soupira à nouveau et se leva, pour arpenter nerveusement la chambre de Dahlia. Elle revint finalement à la fenêtre, à laquelle elle s'accouda, et poursuivit son récit en contemplant la cour intérieure du fort :

— Certaines femmes ne sont pas faites pour avoir des enfants. Ta mère était frêle... Et ta naissance a été difficile, pour elle. Cinzia est morte quatre jours plus tard, en pleine nuit. Ça a rendu ton père complètement fou. Tu le sais, les grands mariages sont toujours arrangés par les familles des jeunes époux. Mais l'histoire de tes parents faisait exception : c'était une véritable et touchante histoire d'amour.

À la mort de son épouse bien-aimée, l'astucieux général Tadéo avait perdu l'esprit. Il avait commencé par accuser les sages-femmes de meurtre — incluant l'aclla dans ses calomnies, ce que le roi n'avait pu tolérer, malgré son amitié pour Tadéo. Voyant que Deodato ne le soutenait plus, le général s'était mis en tête que la mort de Cinzia avait été le premier acte d'un coup monté contre lui, orchestré par le roi lui-même, sans doute pour se débarrasser d'un « ami » devenu trop influent... Une nuit, Tadéo s'était introduit dans le palais, avait trouvé la chambre du bébé et avait tenté de kidnapper sa propre fille. Mais les cris de la nourrice avaient permis aux soldats d'accourir à temps et le général avait dû être emprisonné, autant pour sa sécurité que pour celle de son minuscule enfant.

— Car Tadéo ne pouvait enlever la future fiancée du roi ! expliqua Canchetta. Au début, Deodato ne s'est pas inquiété. Il espérait que, le temps passant, la douleur de son ami s'estomperait et qu'il redeviendrait lui-même. Hélas, les choses ne se sont pas déroulées ainsi.

Le général était aimé des soldats techtas. Il n'avait vraisemblablement éprouvé aucune difficulté à convaincre certains d'entre eux de l'injustice dont le roi faisait preuve à son endroit. Peu après son incarcération, un groupe d'hommes masqués avait organisé son évasion spectaculaire et avait fui avec l'ancien général, au sud de Zollan. Mais presque un an plus tard, Tadéo et ses compagnons étaient revenus. Ils avaient tenté d'assassiner le roi au cours de l'une de ses balades en gondole sur la rivière Tepin.

— Par chance, leur attentat s'est soldé par un échec ! Malheureusement, il s'agissait seulement d'une diversion. Et tandis que les soldats les recherchaient aux abords de la rivière, les complices de ton père ont réussi à s'introduire dans le palais et à te kidnapper.

Néanmoins, l'ancien général n'avait pu se rendre bien loin avec le bébé : une escouade lancée à ses trousses avait pu récupérer l'enfant dès le soir... Mais dans cette ultime bataille, nul ne savait si Tadéo avait péri. Le roi n'ayant plus été attaqué par la suite, les gens avaient conclu à la mort du grand Tadéo et une cérémonie royale avait été organisée en son honneur à Zollan, en mémoire des longues années de loyauté dont il avait fait preuve avant de perdre la raison. Cela n'avait pas empêché le roi de craindre pour la sécurité de la petite Dahlia.

— Il a préféré t'envoyer loin de la capitale, incognito. Pour que personne ne te retrace, il t'a confiée à un obscur colonel que lui-même ne connaissait pas du tout.

— Je n'en garde aucun souvenir.

— Tu avais à peine un an !

Dahlia hocha la tête. Les explications de

l'aclla apportaient un peu de lumière sur la réaction de son père adoptif lorsqu'il avait appris la véritable identité de sa protégée. La jeune fille elle-même s'émerveillait que Deodato s'en soit tenu à sa promesse malgré la folie meurtrière de son père. Un moment, le silence plana sur la chambre. Dahlia sentait le regard de la cousine du roi posé sur elle ; la jeune fille ne savait que penser de son passé. Elle n'osait lever les yeux et croiser ceux de l'aclla, elle n'osait bouger de sa chaise... Si on le lui avait permis, cependant, elle aurait aimé sortir du fort pour aller courir dans la sierra Gula. Chasser quelques lézards et trancher à coups d'épée des dizaines de cactus... Mais elle était prisonnière. Alors elle ferma ses mains l'une sur l'autre, les doigts entrelacés si serré que ses phalanges en pâlissaient, et dit ce que l'aclla Canchetta attendait d'elle — ce que l'on attendait de la fiancée du roi :

— Maintenant, parlez-moi de Zollan et de Deodato, s'il vous plaît.

L'aclla Canchetta sourit, manifestement soulagée de découvrir la jeune fille obéissante. Elle alla ouvrir la porte de la chambre et une brise agréable souffla dans la pièce. Canchetta s'assit à nouveau face à Dahlia, prête à répondre à toutes ses questions.

*** 

*Amaryllis passait beaucoup de temps dans les jardins du palais dil Senecalès. Surtout le soir, quand les nuits étaient sans nuages ; elle ne se lassait pas de contempler les étoiles. Parfois, l'héritier-machtli venait la rejoindre. Un étrange sixième sens lui permettait invariablement de la retrouver, même si la jeune fille se vêtait de sombre, même si elle restait immobile, accroupie au milieu des fleurs. Ce soir, lorsqu'elle entendit des pas sur les graviers de l'allée, Amaryllis crut que son hôte l'avait à nouveau repérée et elle se demanda ce qu'elle lui dirait ; Lucio dil Senecalès semblait toujours s'attendre à ce qu'elle ait quelque nouvelle prédiction pour lui, quand elle s'éternisait dans les jardins...*

*Mais ce n'était pas Lucio. La jeune fille reconnut la silhouette de sa sœur ; de nuit, on pouvait confondre Dahlia avec un homme, cependant Amaryllis ne se laissait jamais abuser par ses cheveux courts et les pantalons masculins qu'elle avait recommencé à porter. Sa démarche féline lui était par trop familière.*

*— Dahlia ! appela-t-elle doucement.*

*La jeune fille stoppa net et regarda autour d'elle, brusquement tirée de ses réflexions par le chuchotement. Elle nota un mouvement dans la végétation compacte des jardins, aperçut la robe bleue d'Amaryllis et se détendit. Elle* n'hésita qu'une seconde avant de la rejoindre entre deux bosquets — mais cette hésitation n'échappa pas à sa sœur. Elle en conclut que, comme elle, Dahlia éprouvait de plus en plus le besoin de se retrouver seule. C'était sans doute normal : après tout, elles avaient été seules pendant seize ans. Il eût été plutôt étonnant qu'elles ressentent soudainement le besoin de partager tous leurs secrets, même entre triplées... Lorsque leurs parents seraient vengés, il était probable qu'elles se sépareraient à nouveau.

— Toi aussi, tu as du mal à dormir ? demanda Dahlia.

— Oh, moi... Sortir la nuit est seulement une habitude. Mais toi ? Tu dors mal ? Ce n'est sûrement pas à cause de l'aclla !

Dahlia haussa les épaules. La façon dont sa sœur devinait toujours tout commençait à lui porter sur les nerfs. Pourtant, il avait été agréable, dans le désert, d'être trois. Elle avait éprouvé un réel plaisir à découvrir qui étaient Amaryllis et Capucine, à partager quelque chose de fort avec elles. Elles se complétaient à merveille. Dahlia se souvenait de la difficulté qu'elle avait toujours eue à mettre au point ses plans d'évasion, même avec l'aide d'Ina ; si elle avait dû venir au Techtamel seule, pour préparer le retour de Tadéo et de ses mercenaires, une telle entreprise aurait facilement pu tourner au cauchemar.

Mais avec Amaryllis, même les planifications les plus abracadabrantes semblaient simples à échafauder... Malgré tout, Dahlia avait hâte d'en être débarrassée. Il lui semblait que tant que ses deux sœurs graviteraient autour d'elle, elle ne pourrait jamais être totalement libre.

— Non, tu as raison. C'est Alcestes qui m'empêche de dormir. Son visage ne me revient pas... Je ne lui fais pas confiance. Notre père a été si souvent trahi !

Amaryllis secoua la tête. Elle aussi craignait pour leur père. Dans l'immédiat, il se trouvait en sécurité, néanmoins le ciel promettait des surprises à l'ancien général. Dahlia ne s'inquiétait pas sans raison... Mais Amaryllis n'allait pas le lui dire, car leur père reviendrait sain et sauf de sa première mission. Il serait temps, alors, de discuter avec lui du problème que posait cet Alcestes Huaxin.

— Nous ne sommes pas les seules à vagabonder dans les jardins, chuchota tout à coup Dahlia.

Amaryllis suivit des yeux la direction que pointait sa sœur et elle soupira : Lucio dil Senecalès s'était lancé à sa recherche, cette nuit encore. Il ne lui laissait vraiment aucun répit.

— Tu vas l'épouser et devenir reine ?

— Si c'est ce qu'il désire.

— Ça me semble assez évident ! pouffa Dahlia.

— *Eh bien... Plus tellement, depuis hier. Le futur roi du Techtamel n'apprécie pas de ne pas tout contrôler.*

— *Qu'en disent les étoiles ? Seras-tu reine ?*

— *Je ne lis jamais le ciel pour savoir ce qui va m'arriver, Dahlia.*

*Lucio repéra assez vite les deux sœurs et les salua courtoisement. Amaryllis s'obligea à sourire en se relevant, balayant de la main la terre qui collait à sa robe : comme chaque fois qu'il la retrouvait à l'extérieur du palais, l'héritier-machtli voudrait certainement arpenter les jardins en sa compagnie... Elle se tourna vers sa sœur, pour l'inviter à les accompagner, mais Dahlia se montra plus rapide qu'elle. Elle bâilla et annonça qu'elle retournait se coucher.*

— *Maintenant que mon astromancienne de sœur m'a rassurée, je vais dormir comme une bûche.*

*C'était une excuse parfaite pour échapper à Lucio dil Senecalès et à sa politesse excessive. Amaryllis souhaita une bonne nuit à Dahlia — et se rendit compte, avec un moment de retard, que celle-ci n'avait pas songé à lui demander si elle avait envie de devenir reine. Seulement ce qu'en pensaient les étoiles...*

# 4

# ARRIVÉE À ZOLLAN

L'arrivée de Dahlia dans la capitale se fit en grande pompe. Confortablement assise dans le carrosse de l'aclla, épiant à travers les rideaux translucides la foule rassemblée le long de l'avenue qui menait au palais, la future reine pressentait que jamais elle n'arriverait à la cheville de Canchetta. La cousine du roi lui avait expliqué qu'après son mariage, ce serait à elle de gérer les petits détails du palais : une fois qu'il y aurait à nouveau une reine à Zollan, il n' aurait plus besoin d'une aclla...

Mais celle-ci faisait tout à la perfection : elle avait pensé à faire décorer la capitale de dahlias roses, en son honneur ; elle avait également exigé que la robe de Dahlia soit blanche et cousue de broderies orangées, parce que c'était la couleur favorite du roi. Supposant que la jeune fiancée serait intimidée, à son arrivée, Canchetta s'était même assurée qu'un groupe de musiciens jouerait les airs de guitare qu'elle connaissait, lors de sa première rencontre avec le roi Deodato... Tout avait été orchestré depuis Fort-Tecallican, de façon à ce que l'arrivée de Dahlia à Zollan soit impeccable. La future reine doutait cependant que la musique ou quoi que ce soit d'autre puisse vraiment la rassurer. La sierra Gula lui manquait déjà et elle n'avait quitté Fort-Tecallican que depuis sept jours !

La capitale était à l'opposé du paysage désertique où Dahlia avait grandi. La végétation luxuriante de palmiers et de figuiers envahissait toutes les rues, l'humidité de l'air était telle que la jeune file avait presque l'impression de respirer sous l'eau. À Zollan, l'horizon n'était visible nulle part, car des maisons beiges se tassaient le long des rues, uniquement séparées les unes des autres par des jardins clôturés. Les parfums qui chatouillaient les narines de Dahlia lui étaient également étrangers, pour la plupart, de même que les visages des gens qui saluaient son arrivée. Jamais elle n'avait soupçonné qu'il puisse exister autant de teintes de peau différentes. Bien entendu, l'aclla lui avait expliqué que Zollan était une grande ville, le port principal du royaume où des marchands venus de tous les rivages de la mer Séverine venaient commercer. Cela n'avait pas suffi à la préparer au choc d'embrasser toutes ces cultures d'un seul coup d'œil.

Le palais surprit également Dahlia. La jeune fille ne connaissait aucune construction plus vaste que le fort où elle avait grandi ; or, le palais du roi Deodato aurait facilement pu contenir trois forts militaires semblables. Il était constitué de pyramides jumelles dont chacun des étages était entouré d'un parapet crénelé. Des fanions aux couleurs des différentes provinces du royaume flottaient au bout de mâts, plantés aux sommets des pyramides. Des palmiers poussaient à tous les étages comme si chaque niveau était bordé d'un jardin tropical. Les portes et les fenêtres en ogives étaient vitrées... Et une mosaïque époustouflante encadrait la porte principale du mur d'enceinte, celle par où le carrosse de l'aclla Canchetta pénétra dans le palais. Dahlia ignorait que l'on pouvait décorer ainsi les murs extérieurs de sa demeure ; à Fort-Tecallican, l'architecture ne comportait certainement rien de *décoratif*.

— C'est encore plus beau que je ne l'imaginais, souffla-t-elle.

— Et tu n'en as encore rien vu, fit Canchetta avec un sourire satisfait. Zollan est le centre du monde civilisé, ne l'oublie pas.

Passé le mur d'enceinte, le carrosse se retrouva dans une large allée pavée ceignant le rez-de-chaussée du palais, commun aux deux pyramides. Des dresseurs de singes et leurs animaux, des jongleurs, des musiciens et des cracheurs de feu attendaient là ; ils s'avancèrent vers le carrosse dès qu'ils l'aperçurent.

— Voilà le roi, annonça Canchetta quand la porte du carrosse s'ouvrit sur la procession hétéroclite.

Dahlia hocha la tête, muette d'appréhension. L'aclla l'avait prévenue que le roi Deodato ne l'accueillerait pas dans les rues de Zollan. Selon elle, le roi n'aimait pas s'exhiber devant le peuple. La jeune fille supposait pour sa part qu'il souhaitait cacher à la population sa réaction lorsqu'il découvrirait sa future épouse pour la première fois... La prophétie avait prédit sa beauté, mais Deodato craignait peut-être que les dieux ne partagent pas ses goûts, en matière de femmes ! Dahlia prit une profonde inspiration, jeta un coup d'œil à l'aclla Canchetta afin de puiser du courage dans son sourire confiant, rassembla l'ample jupe de sa robe comme elle le lui avait appris et descendit seule du carrosse.

Les différents artistes formèrent un mur en arc de cercle. Puis la musique cessa et ils s'inclinèrent devant la future reine dans un

bel ensemble. Dahlia se contenta de les remercier d'un geste de la tête, suivant en cela
les instructions de l'aclla. Elle s'efforça de deviner lequel, parmi les hommes derrière eux,
était Deodato. Elle plaqua un sourire sur ses
lèvres — celui qu'elle réservait jusque-là aux
sermons de son père adoptif — et attendit.

D'abord, quatre vieillards en toges noires se
glissèrent entre les artistes et Dahlia estima
rapidement qu'aucun d'eux ne pouvait être le
roi : ils avaient tous l'âge d'être grands-pères.
Ce devaient être les sorciers du palais ; la jeune
fille s'inclina respectueusement devant eux,
rendant hommage à leur sagesse. Quoiqu'elle
fût persuadée de les avoir salués comme il
convenait, les quatre hommes la dévisagèrent
avec froideur et lui retournèrent sa salutation
avec une mauvaise grâce évidente. La nervosité de Dahlia s'accentua.

Quatre jeunes gens — deux hommes et
deux femmes — suivirent les sorciers. Ceux-là
faisaient partie de la famille du roi et Dahlia
leur sourit. Ils lui rendirent son sourire, la dé-
vorant des yeux avec une curiosité manifeste,
et la jeune fille se sentit rougir... La situation
lui apparut tout à coup d'un ridicule absolu
et elle dut maîtriser son fou rire : toute cette
procession officielle ressemblait à un jeu de
marionnettes !

L'être étrange qui se glissa à la suite des jeunes gens étrangla le rire dans la gorge de la future mariée. Il s'agissait aussi d'un jeune homme, sans doute du même âge qu'elle, cependant sa démarche de canard détonnait au milieu de l'élégance générale ; ses beaux atours ne parvenaient pas à masquer son manque d'aisance. Et quand le regard de Dahlia croisa le sien, elle eut l'impression de plonger dans les yeux d'un reptile... Sa main droite se porta machinalement à sa hanche, à la recherche du couteau qui ne la quittait jamais, dans la sierra Gula... Le roi Deodato apparut ensuite et vint se placer aux côtés du jeune homme malgracieux. Tout souriant, il échangea quelques mots à voix basse avec celui qui feignait d'être un jeune Techta. Il fallut un instant à la jeune fille pour songer à exécuter la profonde révérence que l'aclla lui avait enseignée.

Le roi n'était finalement pas aussi vieux que la jeune fille l'avait supposé, ni aussi laid qu'elle l'avait craint. L'aclla Canchetta lui avait tant parlé des qualités de son cousin et si peu de son apparence ! Dahlia avait pensé qu'elle n'en avait rien eu de positif à dire ! Mais si Deodato n'avait pas l'allure d'un jeune et fringant écuyer de l'armée, au moins il avait su garder une silhouette athlétique : la toge orangée, jetée en travers de son torse, ne dissimulait pas les muscles de ses épaules et de ses bras. Cela n'aurait pas dû surprendre la jeune fille. Canchetta lui avait répété plusieurs fois qu'il était un excellent chasseur, un excellent cavalier et un grand amateur d'escalade... Dahlia sourit. Après le mariage, elle espérait que son époux lui permettrait de partager ses activités. Cette perspective optimiste l'aida à passer outre à la chevelure poivre et sel du roi.

— Quel plaisir de vous rencontrer enfin, Dahlia Balamqui.

Dahlia haussa les sourcils et sourit poliment, à retardement. Elle connaissait l'identité de ses parents depuis trop peu de temps pour être déjà accoutumée à son véritable patronyme.

— C'est un honneur, répondit-elle avec une nouvelle révérence. Mais si vous le permettez, j'aimerais garder le nom de mon père adoptif.

Le roi fronça les sourcils et il y eut quelques murmures dans le groupe qui l'accompagnait. Dahlia comprit qu'elle venait de commettre un impair. Toutefois, elle préféra ne pas s'en excuser : autant laisser son futur époux entrevoir immédiatement à quelle jeune fille il allait se marier ! Elle n'avait aucunement l'intention de se transformer en une petite dinde obéissante, une fois devenue reine.

— Non pas que je souhaite renier mon père, ajouta-t-elle avec fermeté. On me dit qu'il était un grand général, j'ai de quoi être fière d'être son héritière.

À nouveau, elle eut l'impression qu'elle ne prononçait pas les bonnes paroles et qu'elle déplaisait au roi. Elle serra les poings et termina précipitamment :

— Mais mon père adoptif m'a éduquée dans le respect des dieux et des traditions et je souhaite aussi être son héritière. C'est pourquoi je préfèrerais que l'on me nomme désormais Dahlia Balamqui-Doge.

Le silence plana un instant. Puis le roi hocha la tête et souhaita formellement à sa fiancée la bienvenue en son palais. Il ne se prononça pas quant au patronyme qu'elle s'était choisi et ne fit aucun commentaire à ce sujet, s'en tenant simplement au protocole. L'un des jeunes hommes qui faisaient partie de la famille royale s'avança pour expliquer qu'un goûter serait servi dans le salon du Sable et l'invita à aller se rafraîchir dans ses appartements. Deodato attendit la fin de son petit discours pour saluer Dahlia, l'aclla Canchetta dans son carrosse et l'ensemble du comité d'accueil. Puis il adressa un signe à l'adolescent aux yeux de reptile et ils regagnèrent ensemble le palais.

— Ambra va vous montrer le chemin de vos appartements, conclut le jeune homme, s'effaçant devant une jeune femme qui lui ressemblait assez pour être sa sœur.

Ce fut sans doute le signal qu'attendaient tous les gens rassemblés devant Dahlia. Ils se mirent à parler entre eux, dans un brouhaha étourdissant, et se dispersèrent rapidement. La musique recommença, les animaux et les jongleurs reprirent leurs facéties et la cousine du roi émergea enfin de son carrosse. Juste à son air, la jeune fille devina que Canchetta désapprouvait sa conduite. Cependant elle ne pipa mot et Dahlia serra la mâchoire. Pour la première fois, elle entrevit le combat qu'elle aurait à mener quotidiennement, au palais de Zollan, pour rester fidèle à elle-même...

\* \* \*

*Tadéo Balamqui et ses deux acolytes revinrent au château dil Senecalès deux jours après l'avoir quitté.*

*— Comment s'est déroulée votre première... expédition punitive, père ?*

*Avec son père, Amaryllis avait compris qu'il valait mieux aller droit au but.*

— *Tout s'est passé comme prévu. Cette pimbêche de Canchetta ne faisait même pas garder les abords de son manoir tant elle était persuadée de la toute-puissance de la protection royale !*

*L'ancien général entreprit de raconter immédiatement comment il s'était introduit chez l'aclla Canchetta et les trois sœurs s'installèrent sur des coussins ; leur père narrerait sans doute toute l'opération dans les détails. Lucio dil Senecalès manquait encore à l'appel, de même que Tienko... Nul ne songea à les attendre.*

— *Nous avons suspendu les sortilèges d'Herbes aux quatre coins du manoir et nous avons brûlé les branches d'aubépine dans la cheminée de la cuisine, tel que convenu. Nous nous sommes ensuite cachés dans le moulin près de la route et nous avons attendu. L'héritier-machtli avait raison : l'aclla donnait un bal et il y avait foule chez elle.*

*Comme s'il avait entendu que l'on parlait de lui, Lucio poussa la porte de la chambre et passa la tête par l'entrebâillement. Lorsqu'il constata que tout le monde était déjà bien installé, il fronça les sourcils, cependant Tienko le poussa amicalement en avant et ils rejoignirent ensemble le reste du groupe. L'ancien général les accueillit d'un hochement de tête, selon son habitude, et Amaryllis suivit des yeux le demi-elfe. Lorsqu'il prit place près de Capucine, elle se tourna vers* son père, amusée. Comme elle s'y était attendue, le grand Tadéo dévisageait Tienko, sourcils froncés. Il vit le sourire que celui-ci échangea avec Capucine, il nota sans doute le geste qu'il eut pour effleurer l'épaule de la jeune fille... Au palais dil Senecalès, l'amour que se portaient Capucine et le demi-elfe était évident pour tout le monde, depuis une semaine. Son père, quant à lui, ne le percevait que maintenant ; Amaryllis se demanda comment il réagirait.

— La sorcellerie des Herbes a bien fonctionné, poursuivit calmement Tadéo. Les invités de l'aclla n'ont pas tardé à quitter le manoir... Ils semblaient tous très pressés. Puis, vers minuit, une explosion a fait trembler le sol. Quand nous sommes sortis de notre cachette, le manoir était en feu. Il brûlait si fort qu'il semblait à même de faire fondre la pierre !

Le grand Tadéo s'interrompit et dévisagea Amaryllis. Celle-ci comprit ce qui le taraudait : il avait dû se sentir lâche, à simplement regarder brûler le manoir de l'aclla Canchetta. Seize ans plus tôt, cette femme avait trahi la confiance de son épouse. Lui-même avait bien tenté de la venger, sans succès... La jeune astromancienne supposait que la sorcellerie des Herbes laissait aujourd'hui au grand Tadéo un goût amer en bouche, un sentiment d'inachevé difficile à accepter. Il eût certainement été plus satisfait s'il avait tranché lui-même la gorge de l'aclla Canchetta.

Mais quand l'ancien général avait expliqué à ses filles qu'il escomptait tuer tous les lâches qui avaient laissé le roi détruire sa famille, Amaryllis avait exigé d'y mettre son grain de sel. Elle n'approuvait pas pareille tuerie : quand elle s'était convaincue qu'il lui fallait venger ses parents, jamais elle n'avait eu l'intention de se transformer en assassin sanguinaire ! Mais Tadéo Balamqui n'était pas homme à se laisser fléchir, aussi la jeune fille avait-elle opté pour une solution médiane. En échange de sa collaboration à la vengeance de son père, elle avait demandé à ce que les meurtres soient rapidement expédiés, sans souffrance excessive pour les victimes. Dans ce but, elle avait imposé sa sorcellerie comme arme. Comme Beretrude dans le Labyrinthe, l'ancien général n'avait pas apprécié son offre, toutefois il n'avait trouvé aucun argument solide à lui opposer.

De même, ce soir, Tadéo ne négligea pas de remercier sa fille pour son efficace contribution à la première phase de sa vengeance ; il n'était pas homme à cracher sur une première victoire, malgré ses convictions.

— Oh, pitié ! s'exclama Capucine, très pâle. Dites-moi que toute la maisonnée n'a pas péri dans cet incendie ?

— *Bien sûr que non*, la rassura Amaryllis de sa voix la plus douce. *C'est bien pour cela qu'il fallait brûler l'aubépine, pour que tout le monde sauf notre victime ressente une soudaine envie d'aller passer la nuit ailleurs !*

— *Soyons exact : Canchetta est morte avec ses quatre chiens, qui sont fidèlement restés à ses côtés malgré les flammes*, précisa Alcestes. *Nous avons vu leurs cadavres calcinés.*

Dahlia sourit, satisfaite. Il ne lui déplaisait pas que l'aclla Canchetta ait été la première victime de leur vengeance : elle avait été la première à se jouer d'elle. La cousine du roi avait gagné sa confiance comme elle l'avait autrefois fait avec sa pauvre mère Cinzia...

— *Qui sera la prochaine victime ?* demanda stoïquement l'héritier-machtli.

Inquiète de son ton de voix, Amaryllis leva les yeux vers Lucio. Il lui adressa un sourire sincère, un de ceux qui avaient poussé la jeune fille à le choisir pour allié, et elle respira un peu mieux. La conversation nocturne qu'ils avaient eue, dans les jardins, avait décidément amélioré les choses entre eux...

— *Je crois que Novio sera le deuxième*, répondit Tadéo.

L'expression de l'héritier-machtli se troubla et même Amaryllis ne parvint pas à masquer son étonnement. La stratégie de son père suivait un chemin difficile à comprendre... La jeune fille entendait parler de l'assassinat de son oncle maternel pour la première fois ! Ou bien Tadéo avait modifié ses plans après que les triplées eurent quitté le désert du Tamaris, ou bien il avait choisi de leur cacher à dessein certaines parties de sa stratégie... Sans doute y avait-il des choses, concernant les terribles événements qui avaient suivi sa naissance, qu'Amaryllis ignorait encore. Dahlia, pour sa part, n'eut besoin que d'un coup d'œil en direction de son père pour comprendre ce qu'il avait en tête :

— Le domaine Petite-Paleta ?

L'ancien général acquiesça du chef et Lucio dil Senecalès grommela quelque chose d'inintelligible. Lorsque Capucine, tout aussi mystifiée qu'Amaryllis, demanda des explications, ce fut Tienko qui se chargea de lui décrire le domaine Petite-Paleta. Situé en bordure de la mer Séverine, quelques lieues à l'est de Zollan, le domaine était un véritable paradis. Une longue plage de sable blond bordait une orangeraie fort productive, un manoir de style colonial vispanais trônait au centre des terres... Mais surtout, ses quais s'avançant loin dans la mer occupaient un emplacement stratégique pour le commerce. Les chebeks qui longeaient la côte en provenance de l'orient s'y arrêtaient en priorité, car Novio dil Bonfiliar leur offrait de bons prix pour leurs marchandises et le confort de sa maison... Depuis qu'il possédait le domaine, le frère de Cinzia s'était considérablement enrichi.

— Après la prophétie, c'est chez lui que vous vous êtes réfugiés, notre mère et vous, comprit Amaryllis. S'il ne vous avait trahi auprès du roi, vous auriez pu fuir et nous aurions grandi loin de Zollan. Mais le roi a la réputation de se montrer généreux envers ses alliés ; si Novio vous était resté fidèle, il n'aurait pas gagné ces terres.

— En effet, confirma Tadéo. Car le domaine Petite-Paleta m'appartenait. Je crois qu'il est maintenant temps de le récupérer.

# 5

# D'ÉPROUVANTES
PRÉPARATIONS

Ambra était l'une des jeunes femmes que
le protocole avait désignées pour servir Dahlia,
en attendant son mariage. Elle répondait à ses
questions, s'enquérait de ses intérêts et, de
manière générale, s'employait à faire ses cour-
ses. Si bien que la future reine n'avait aucune
raison de quitter ses luxueux appartements.
Ceux-ci étaient plus vastes que la chambre
qu'elle avait occupée, dans la tour de garde,
et le bureau de son père adoptif réunis. Une
double porte vitrée ouvrait sur un long balcon à
demi couvert — comme Dahlia l'avait remarqué
à son arrivée dans la capitale, les balcons du
palais étaient des jardins miniatures où poussaient des palmiers et des fleurs aux parfums
suaves. La jeune fille comprit vite que le sien
était surtout une oasis de fraîcheur, même

lorsque le soleil se trouvait à son zénith. De plus, étant donné que les appartements de la reine faisaient face au nord, Dahlia pouvait admirer l'immensité de la mer Séverine, même de la fenêtre qui jouxtait son lit.

Le jour de son arrivée à Zollan, la jeune fille se contenta de faire connaissance avec Ambra. La servante avait à peu près le même âge qu'Ina, cependant là s'arrêtait la ressemblance. Ambra était noble ; ses manières irréprochables et son élocution parfaite devraient sans doute servir de modèle à la future reine... Dahlia ne doutait pas que si le « protocole » l'avait désignée en priorité, c'était surtout parce que l'aclla avait jugé qu'elle exercerait une bonne influence sur la reine ! Mais au premier abord, il était difficile de décider si la jeune femme était sympathique : elle parlait peu, répondait laconiquement aux questions et n'en posait pas... Dahlia aurait certes préféré une compagne plus volubile. Néanmoins, Ambra souriait et semblait décidée à prévenir ses moindres désirs ; on pouvait considérer cela comme un début d'amitié.

Dès le lendemain de son arrivée au palais, Dahlia demanda à visiter la capitale, ce qu'Ambra lui refusa :

— Vous avez un visiteur, ce matin, expliqua-t-elle en ouvrant toutes grandes les portes du balcon.

— Quelqu'un vient déjà me voir ? Qui cela peut-il être ?

— C'est votre oncle, Novio dil Bonfiliar. Il attend que vous soyez prête à le recevoir.

Le nom ne disait rien à Dahlia. Tandis qu'elle s'installait devant son déjeuner, la noble-servante lui expliqua qu'il s'agissait de son oncle maternel et qu'il était l'un des seuls à pouvoir demander à rencontrer la future reine dans ses appartements. La jeune fille ouvrit des yeux ronds à cette nouvelle.

— Alors, ma mère avait un frère !

Elle se demanda pourquoi le roi ne l'avait pas confiée à son oncle, plutôt qu'à un étranger... Puis elle se souvint qu'il avait fallu la cacher, loin de la folie de son père.

— Je supposais que l'aclla Canchetta vous avait révélé votre généalogie, s'étonna Ambra.

— Non, elle s'est montrée très vague à ce sujet. Elle croyait qu'il me serait plus utile, dans un premier temps, de connaître les us et coutumes du palais.

Ambra se garda bien de commenter les choix de l'aclla. Elle demanda simplement quelle réponse porter à Novio dil Bonfiliar et un frisson d'exaltation parcourut Dahlia :

— Mais que je vais le recevoir dès maintenant, bien sûr ! C'est mon oncle !

Le regard de la noble-servante glissa sur le repas à peine entamé ; il ne convenait pas que la future reine reçoive qui que ce soit au milieu de son déjeuner. La jeune fille leva les yeux au ciel. Elle aurait volontiers fait fi de ces règles, cependant elle se doutait que ça n'aurait pas été le meilleur moyen de se tailler une place au palais. Elle avala rapidement quelques bouchées.

— Tu peux demander qu'on ramasse ce qui reste, Ambra. S'il te plaît. J'ai assez mangé : à Fort-Tecallican, je n'ai pas été habituée à des repas aussi copieux !

Ambra hocha la tête, transmit ses ordres aux serviteurs ordinaires — ceux à qui il valait mieux que Dahlia ne parle pas, car cela les plongeait dans un abîme de confusion — puis sortit des appartements de la reine pour aller chercher Novio dil Bonfiliar. L'attente sembla interminable à la jeune fille. La mer Séverine, scintillant de millions de paillettes argentées, aussi loin que portait la vue, ne parvint pas à l'en distraire. Dahlia se demandait comment la visite de son oncle influencerait sa nouvelle vie.

Elle fut déçue lorsqu'Ambra le lui amena. Novio dil Bonfiliar lui ressemblait beaucoup. Néanmoins, la finesse de ses traits, le tracé précis de ses lèvres et la fragilité de sa silhouette lui donnaient un air mièvre plutôt que raffiné. Quelque chose dans son maintien, dans son regard qui ne se fixait jamais sur rien, convainquit Dahlia au premier coup d'œil que son oncle était un faible. Elle s'efforça de ne rien laisser paraître de son désappointement et l'accueillit avec politesse.

Mais l'homme se figea dès qu'il posa les yeux sur sa nièce. La bouche entrouverte — il avait sans doute lui-même été sur le point de débiter des salutations courtoises —, il ne put que dévisager Dahlia, troublé. Intimidée par le silence qui s'éternisait, la jeune fille ne sut que dire. Elle se tourna vers Ambra, espérant que la noble-servante saurait comment les sortir de ce moment de gêne, mais Novio finit par se décider à parler :

— Je n'étais pas là, lors de votre arrivée à Zollan. Je ne savais pas que vous étiez... Exactement comme Cinzia ! C'est à croire que ma pauvre sœur s'est réincarnée en vous !

La chose était, comme tout le monde le savait, absolument impossible. Mais bien sûr, si Novio avait été très proche de sa sœur, sa mort avait dû le bouleverser ; cela pouvait expliquer qu'il soit si troublé en découvrant que sa fille unique lui ressemblait comme une jumelle. Pourtant, Dahlia pressentait que son regard fuyant n'était pas seulement attribuable à la couardise qu'elle devinait en lui : elle eût juré, au contraire, qu'il avait vraiment peur de croiser le regard de sa nièce... Novio ressemblait en cet instant à un petit garçon craignant d'être grondé. Elle se demanda ce qu'il pouvait bien avoir à se reprocher !

La jeune fille n'aimait pas les situations équivoques. Elle décida d'attaquer le problème de front : elle invita son oncle à s'asseoir près d'elle, dans l'ombre des palmiers, et commença par une question facile :

— Partagez-vous mon point de vue sur toute cette histoire, mon oncle ? J'ai vraiment l'impression que les révélations se succèdent à un rythme trop rapide ! Il y a dix jours, à peine, je ne soupçonnais rien de mon passé.

Novio croisa les bras sur sa poitrine et se cala dans son siège. Le regard tourné vers la mer Séverine, il se donnait le temps de réfléchir.

— Vous a-t-on déjà ensevelie sous une tonne d'informations concernant votre passé ?

— Peut-être pas une tonne, admit Dahlia avec un sourire. Mais cette histoire de prophétie, ce mariage qui doit avoir lieu dans trois jours... Alors que je n'ai rencontré le roi qu'hier ! Ajoutez à cela la mort de ma mère et les tristes raisons justifiant qu'on me cache loin de Zollan... Admettez que ça en fait beaucoup, tout de même.

— Ah, Dahlia ! Vous ressemblez à Cinzia... à votre mère. Mais vous parlez comme votre père. Vous avez son assurance et sa... sa dignité. C'est très troublant. J'ai l'impression de les avoir tous les deux devant moi.

— Que pensez-vous de sa déplorable rébellion contre le roi ?

L'expression de Novio dil Bonfiliar changea du tout au tout. Il releva aussitôt les yeux et jeta un regard anxieux à sa nièce. Celle-ci le fixait avec attention, très grave, et Novio pâlit en le constatant. Il se leva et s'éloigna de Dahlia, s'accoudant au parapet du balcon, tournant presque complètement le dos à la jeune fille. Elle se morigéna intérieurement : elle s'était montrée trop brusque et maintenant, son oncle se refermait comme une huître ! Il avait très certainement quelque chose à cacher, mais jamais elle n'apprendrait de quoi il s'agissait si elle ne faisait pas preuve de ruse. Hélas, la ruse n'était pas dans ses habitudes.

— Je suis désolée, fit-elle néanmoins, dans l'espoir d'amadouer Novio. Je ne voulais pas vous rappeler des souvenirs accablants, sans doute encore bien vifs...

— C'est lui qui aurait dû mourir plutôt que ma douce Cinzia, gémit Novio.

— Eh bien ! Ce n'est pas demain la veille que les hommes mourront en couches !

Novio la regarda par-dessus son épaule, l'air perplexe. Dahlia y vit une ouverture, dont elle essaya de profiter :

— Croyez-vous que nous pourrions faire une promenade, ensemble ? Peut-être sur la grève ? Cela nous permettrait de tout reprendre à zéro et de nous tourner vers l'avenir...

— Je ne crois pas, non.

Dahlia grimaça, persuadée qu'elle avait irrémédiablement gâché ses relations avec son oncle. À sa grande surprise cependant, Novio lui expliqua que la fiancée du roi ne pouvait se balader où bon lui semblait, même sous bonne escorte et dûment chaperonnée par son oncle. La jeune fille protesta vivement, ce qui amena un sourire triste sur les lèvres de Novio :

— Oh oui ! Vous êtes exactement comme votre père ! J'espère que ma sœur a au moins transmis un peu de sa douceur aux...

Il s'interrompit en rosissant et jeta un coup d'œil à Ambra. La noble-servante affichait un air neutre, comme à son habitude.

— Et en plus, le roi vous a confiée encore bébé à un militaire, termina précipitamment Novio. Pas étonnant que vous ressembliez à une copie féminine du grand général Tadéo ! Quelle reine extraordinaire vous ferez pour le Techtamel !

— Ne me flattez pas, mon oncle. Quelle reine serai-je pour le Techtamel, vraiment ? Une poupée que le roi gardera cachée dans son palais !

— En réalité, la tradition veut que la reine soit libre d'aller et venir à sa guise dans la capitale, une fois le mariage célébré, intervint Ambra d'un ton affable. Donc, pendant trois jours encore... Résignez-vous : il faut un certain décorum à un mariage royal et cela nous oblige à respecter de vieilles traditions.

Dahlia remarqua que son oncle hochait la tête machinalement en écoutant Ambra. Son sourire, quand il se tourna à nouveau vers sa nièce, était un masque de politesse. Il semblait à la jeune fille que les seuls brefs instants où elle l'avait vu sous son vrai jour avaient été ceux où il s'était montré anxieux et amer.

— Cela me remet en mémoire la principale raison de ma visite de ce matin. Je viens vous demander l'honneur de remplacer votre père, le soir du mariage. Étant votre plus proche parent encore... Eh bien, encore en vie, dirons-nous...

— Mais mon père adoptif... ?

Dahlia aurait préféré être donnée en mariage par l'homme qui avait veillé sur son enfance. Elle était en désaccord avec lui sur des dizaines de sujets, elle le jugeait trop conventionnel, elle avait souvent eu à se plaindre de la sévérité de ses punitions... Elle n'était même pas prête à jurer qu'elle ressentait pour lui une quelconque forme d'amour filial. Elle le respectait, cependant, et c'était déjà cent fois mieux que ce qu'elle éprouvait pour son oncle maternel ! En outre, dans le flot de nouvelles expériences qui la submergeait depuis que l'aclla Canchetta s'était présentée à Fort-Tecallican, le colonel Jionus aurait représenté une bouée familière. La jeune fille soupira quand elle constata l'effarement qu'avaient provoqué ses paroles.

— Le colonel Jionus Doge n'a aucun lien de sang avec vous ! protesta Novio.

— Et il n'est même pas noble, enchérit Ambra.

Dahlia soupira à nouveau, se demandant lequel des deux arguments parlait vraiment en défaveur du colonel. Encore une fois, elle songea aux enseignements de l'aclla et prononça les mots que l'on attendait d'elle :

— Vous avez sans doute raison, mon oncle. Je serai heureuse de vous avoir à mes côtés, le soir de mes noces.

Novio dil Bonfiliar eut l'air soulagé de pouvoir enfin prendre congé de sa nièce. Dahlia ne se leva pas pour le raccompagner à la porte de ses appartements : c'était le rôle d'Ambra, après tout, et elle-même n'était pas fâchée d'en avoir fini avec l'insipide frère de sa mère. Du moins pour aujourd'hui. Il lui restait encore trois jours à passer en cage avant son mariage ; elle se jura qu'une fois cette formalité remplie, elle rencontrerait toutes les personnes à même de clarifier son passé.

* * *

Les trois jours la séparant de son mariage parurent à Dahlia passer aussi lentement que les saisons de la sierra Gula. Une autre qu'elle se serait laissé prendre par la frénésie qui agitait ses appartements : du matin jusqu'au soir, elle recevait des couturières qui mesuraient chacun de ses membres et testaient l'effet de certaines couleurs sur son teint, des fleuristes et des pâtissières... Pourtant, cette agitation ne lui causait ni plaisir ni nervosité. La jeune fille se sentait comme un soldat en embuscade, attendant que la nuit tombe et que son commandant lui donne l'ordre d'attaquer...

L'idée de fuir le palais ne l'effleura pas sérieusement : l'entreprise lui semblait vouée à l'échec. Dahlia essayait plutôt de voir le bon côté des choses : une fois reine, elle aurait sûrement enfin l'occasion de voyager. Elle irait rencontrer les monarques des royaumes avoisinants et, peut-être, ceux qui vivaient de l'autre côté de la mer Séverine. Et s'il fallait pour cela subir la cérémonie sacrée du mariage...

Pas une fois pendant ces trois jours le roi Deodato ne jugea utile de rendre visite à sa jeune fiancée. Ambra tenta de la rassurer :

— Il n'est pas facile, pour le roi, de changer ses habitudes. Il y a seize ans qu'il vous attend, c'est vrai, mais il n'a jamais eu à faire plaisir à qui que ce soit, à part Cipactli. C'est un homme... très affairé.

— Cipactli ?

Ambra prit aussitôt un air embarrassé et essaya de se défiler, prétendant qu'une course de dernière minute l'attendait, mais Dahlia insista, vexée de ce prétexte idiot. La noble-servante se justifia en lui disant qu'elle aurait préféré ne pas lui parler du fils adoptif de Deodato avant le mariage. À son avis, seul le roi devrait lui expliquer l'attachement qu'il vouait à l'étrange jeune homme. Dahlia comprit tout de suite de qui il s'agissait :

— Cipactli, c'est celui qui se tenait aux côtés du roi, le jour où je suis arrivée à Zollan. Celui qui a des yeux de reptile.

— Chut ! Ne dites pas ça... Et surtout, jamais devant Deodato ou lui ! Tout le monde au palais doit agir comme si Cipactli était un jeune homme ordinaire. C'est la consigne. Et ne m'en demandez pas plus, je vous jure que je ne dirai rien d'autre à son sujet !

Dahlia secoua la tête, dépitée. L'étrange Cipactli aurait pu alimenter leurs conversations pendant les longues heures qui restaient encore à tuer, d'ici au mariage.

— Dans ce cas, pourrais-je le rencontrer ? Ce serait normal, s'il est tellement proche du roi...

— Vous n'y pensez pas ! Avant le mariage ? Mais qu'en diraient les gens ?

Dahlia se fichait pas mal de ce qu'en auraient dit les gens ; elle s'ennuyait ferme, dans le palais de Zollan, malgré l'affabilité d'Ambra. Elle avait l'impression qu'avec Cipactli, au contraire, elle aurait pu avoir une conversation passionnante. Mais en plus des promenades à l'extérieur du palais, le protocole lui refusait ce plaisir.

La jeune fille subissait donc tout ce que le protocole lui infligeait en bouillant intérieurement, tel un puma en cage. Comme un animal en cage, elle prit d'ailleurs l'habitude d'arpenter en long et en large le balcon de ses appartements. Elle n'aimait pas rester à l'intérieur. Les murs couverts de tapisseries, de lambris de bois et de fresques plaquées d'or l'étouffaient ; le parfum des bouquets de fleurs coupées lui donnait la migraine et l'abondance de meubles inutiles lui répugnait. Son hamac lui manquait. Seul le spectacle de la mer, pour tout inhabituel qu'il fût à ses yeux, rassérénait Dahlia : l'étendue scintillante et mouvante ressemblait un peu à la sierra Gula, dans son immensité. Sur son balcon, la jeune fille pouvait ignorer les gens vêtus d'habits colorés qui allaient et venaient, quelques étages plus bas, et admirer seulement les bateaux qui quittaient le port, en route vers des aventures exotiques. Elle pouvait aussi faire la sourde oreille aux bruits fascinants qui provenaient de la ville, juste de l'autre côté du mur d'enceinte, et se concentrer sur les cris nasillards des oiseaux marins... Au fond, c'était presque mieux que son quotidien à Fort-Tecallican.

Pour se distraire, et puisqu'il ne fallait pas parler de Cipactli, Dahlia assaillit Ambra de questions concernant les sorciers et les astromanciens du palais. Ils exerçaient sur elle une authentique fascination, qui s'intensifia lorsque la noble-servante lui révéla qu'ils se trouvaient au service du roi depuis une vingtaine d'années.

— Ce sont donc ceux-là mêmes qui ont prophétisé mon avenir ! s'enthousiasma Dahlia.

— La prophétie a été prononcée par un sorcier étranger, en visite au palais, lui rappela Ambra.

— Tu étais là ? Tu te souviens de ce sorcier ?

— J'étais trop jeune...

Ambra n'avait, à l'époque, prêté aucune attention au sorcier de l'Eau responsable de la confusion qui avait suivi sa prophétie. En revanche, elle était au fait des inlassables tentatives des sorciers du palais pour clarifier la prophétie. Ce qu'ils avaient découvert, tout au long de leurs seize années de tâtonnements, demeurait bien sûr un secret royal, cependant l'insatisfaction du roi était de notoriété publique.

— J'aimerais vraiment les rencontrer ! Et les astromanciens aussi !

La noble-servante promit d'aller les trouver et de leur transmettre l'invitation de la future reine, mais à son expression, Dahlia devina que ce serait en vain. Et, de fait, quand Ambra revint, ce fut avec un refus poli : personne ne semblait avoir de temps à consacrer à la fiancée du roi. La préparation de la cérémonie du mariage occupait les sorciers et les astromanciens du matin jusqu'au soir, apparemment. Même si la jeune fille n'avait jamais entendu dire que des sorciers aient quoi que ce soit à faire lors d'un mariage...

— Ce sera différent lorsque vous serez reine, lui répéta Ambra pour la réconforter.

C'était peut-être vrai. Dahlia craignait cependant qu'une fois reine, on ne lui dise que les sorciers n'avaient de comptes à rendre qu'au roi... Depuis qu'elle se trouvait à Zollan, il ne se passait pas un jour sans que quelque chose la pousse à regretter d'être née fille ! Si elle avait été un garçon, on aurait tenu compte de son opinion et rien n'aurait entravé sa liberté ! Elle n'aurait pas eu à passer ces interminables journées cloîtrée...

Interminables ou pas, les trois jours passèrent néanmoins. Et finalement, les appartements de Dahlia se remplirent de femmes, jacassant comme des pies. L'aclla Canchetta se présenta la première, elle qui avait délaissé la future reine depuis trois jours. Elle arriva tout de suite après le frugal repas du midi, accompagnée des couturières. Sous le regard attentif de Canchetta, ces dernières s'affairèrent autour de Dahlia, l'emballant dans des mètres de tissus. En plus de la robe de mariage blanche, les couturières lui enfilèrent un col de tissu rayé qui ressemblait à un court poncho. On lui attacha à la taille un tablier du même tissu, soignant la boucle dans son dos, on lui glissa aux pieds des sandales garnies de dentelle et de perles, puis on laissa l'aclla l'examiner d'un œil critique.

— C'est parfait. Vous êtes tout à fait mignonne, Dahlia.

La jeune fille en fut heureuse, car elle n'aurait sans doute pas pu supporter qu'on la pare d'une autre pièce de vêtement ! La cérémonie n'aurait pas lieu avant plusieurs heures et la fiancée suait déjà sous ses beaux atours ! Mais elle n'en avait pas terminé avec les préparatifs : sitôt que les couturières s'en allèrent, une dame sophistiquée l'assaillit avec ses peignes et ses bijoux capillaires.

— Quand je serai reine, pourrai-je décider moi-même des vêtements que je porterai ou bien serai-je toujours liée aux traditions ?

— Zollan est un port de mer important, où les influences des quatre coins du monde se font sentir, répondit l'aclla Canchetta.

Dahlia fronça les sourcils ; elle ne voyait pas où la cousine du roi voulait en venir.

— Au début, peut-être que la tête vous tournera un peu quand vous découvrirez la variété des étoffes, venues de pays si éloignés que jamais vous n'en avez entendu parler. Mais avant longtemps, vous saurez choisir ce qui vous plaira. Et alors, le royaume en entier souhaitera se vêtir comme la reine ! Cela se passe toujours ainsi !

Dahlia sourit, cynique : si on la laissait vraiment dicter la mode, il y avait fort à parier que les nobles dames seraient déçues...

# 6

# UNE MARIÉE DISTRAITE

Novio dil Bonfiliar tremblait lorsqu'il baisa la main de sa nièce, dans la pénombre du grand corridor qui menait au temple. Cela n'améliora pas l'opinion que Dahlia avait de lui.

— Ne vous en faites pas, mon oncle : ça va bien se passer.

Novio parvint à sourire, percevant l'ironie de la situation.

— C'est ce que ma sœur me disait toujours.

Des tambours se mirent à jouer et Novio se raidit. Il dégaina son épée cérémonielle, la plaça à la verticale devant lui et jeta un bref regard à Dahlia. C'était le moment, il fallait pénétrer dans le temple. Un frisson d'appréhension parcourut la jeune fille lorsqu'elle songea qu'elle n'avait pas revu le roi depuis leur brève première rencontre, à l'entrée du palais... Elle rajusta machinalement le bandeau de plumes et de perles qui ornait son front et inspira profondément. Elle passa devant son oncle.

L'aclla Canchetta l'avait instruite de ce qu'elle aurait à faire — ou à *ne pas* faire — le soir de son mariage. Elle lui avait rabâché les mêmes choses pendant des heures. Mais il semblait maintenant qu'elle eût gaspillé sa salive, car Dahlia ne se souvenait pas de la moitié de ses conseils. Il fallut que Novio dil Bonfiliar toussote, derrière elle, pour qu'elle ralentisse le pas et l'attende : elle avait spontanément adopté le pas vif qui caractérisait les militaires de Fort-Tecallican, oubliant qu'elle devait avancer lentement, au rythme des tambours. La jeune fille sourit avec dérision et se répéta qu'elle ne vivait plus dans la sierra Gula, désormais ; à Zollan, la vie s'écoulait paresseusement... La fiancée royale haussa les épaules avec une feinte désinvolture. Pour faire échec à la pulsion qui la poussait à se hâter vers l'autel, dans l'espoir d'en finir plus rapidement avec la cérémonie, elle tourna ses regards vers les murs du temple.

À Fort-Tecallican, les cérémonies religieuses se déroulaient invariablement en plein air, sous un éclatant soleil. Mais à Zollan, même cela différait de ce que Dahlia connaissait. Sauf en sa partie centrale, le temple était bas de plafond et la pénombre qui enveloppait l'endroit semblait délibérée — peut-être pour dissimuler les mystères divins aux yeux des citadins. Les torches, accrochées aux multiples colonnes du temple, fournissaient peu de lumière. Pas suffisamment pour que la jeune fille puisse détailler les visages de tous ceux qui s'étaient massés dans le temple ce soir, à l'occasion du mariage royal. Elle aurait pourtant aimé déchiffrer leur expression ; après le refus des sorciers et des astromanciens de la rencontrer, elle se demandait si les gens, au palais, étaient vraiment heureux que le roi se marie enfin avec la fille unique de son ancien ami...

Dahlia leva les yeux et examina l'œuvre d'art sous laquelle elle marchait. La lumière des torches faisait ressortir les détails rouge et or de la fresque ; la jeune fille crut reconnaître la déesse Chimalmat, protectrice de la famille et du foyer, à ses chaussures de feu et à ses quatre bras tendus vers les quatre coins du monde. Un peu plus loin, la jeune fille découvrit une deuxième fresque représentant Ixtab, déesse de la mort, debout sur un monticule de crânes... Elle en fut déçue : la future reine eût tout de même préféré avancer vers l'autel sous l'effigie du dieu-serpent, le plus bienveillant des dieux ! À nouveau, elle haussa les épaules et baissa les yeux sur les gens qui l'entouraient.

Un sorcier en toge noire, debout à sa gauche et presque au centre du temple, attira son attention. Leurs regards se soudèrent et, le temps d'un battement de cœur, la jeune fille crut y lire une terreur extrême. La froideur et le dédain remplacèrent vite la peur et Dahlia douta d'avoir bien vu. Après tout, cela avait pu n'être qu'un jeu de la lumière et des flammes. Elle dépassa le sorcier, passant sous une arche sculptée, et pénétra sous le majestueux dôme central du temple.

Elle faillit oublier le protocole. La vue de l'aclla Canchetta, debout sous le dôme et directement face à la jeune fiancée, la ramena à l'ordre. Elle s'arrêta brusquement, rougissante, et se tourna vers son oncle. Les tambours se turent, pour que chacun entende bien les paroles de Novio et de Dahlia :

— Les dieux m'en sont témoins, je te mène à l'autel pure et digne de respect.

L'homme rengaina enfin son épée cérémonielle et embrassa sa nièce sur les deux joues. La jeune fille leva les yeux vers les visages anonymes massés autour d'elle, les prenant à témoin.

— Je suis Dahlia Balamqui-Doge, annonça-t-elle à son tour. Je remercie toute ma famille à travers vous, mon oncle, pour les grâces dont vous m'avez dotée.

Malgré la gravité de la cérémonie, Dahlia dut faire une pause pour contenir son hilarité.

Le ridicule de la phrase protocolaire l'avait amusée, dans ses appartements, alors que l'aclla la lui faisait répéter. Ce soir, elle eut besoin de toute sa concentration pour terminer :

— Dès lors, je remets ma destinée entre les mains des dieux. Et de mon époux.

Novio dil Bonfiliar hocha la tête, l'air sévère, puis il s'inclina devant sa nièce. Dahlia se pencha afin de lui embrasser le dessus du crâne, un geste censé symboliser l'amour filial qu'elle lui portait et une tendresse maternelle naissante... Encore une fois, c'était si ridicule que la jeune fille éprouva du mal à ne pas pouffer de rire.

Les tambours reprirent leur cadence monotone dès que Novio recula, se postant tout près du sorcier en toge noire. La jeune fille eut le temps de remarquer qu'ils échangeaient un regard soutenu avant que les flûtes n'entonnent un air qu'elle connaissait bien : l'Hymne à la Vie, que tous les soldats savaient jouer sur leur guitare, à Fort-Tecallican. C'était aussi ce que l'on fredonnait après une bataille, en l'honneur de ceux qui avaient péri... Dahlia haussa les sourcils et jeta un coup d'œil à l'aclla Canchetta. Sa surprise transparaissait sans doute sur ses traits, mais rien n'aurait pu pousser la cousine du roi à déroger au protocole : elle ne fit pas un geste pour rassurer la jeune fiancée. Du reste, le roi arrivait à son tour au milieu du temple, directement devant Dahlia, et la vue de son futur époux dissipa ses inquiétudes.

La lumière des torches était clémente, pour le souverain. Elle allumait mille reflets dans les dorures de ses habits et gommait les marques du temps sur son visage. Deodato apparut à sa future épouse nimbé de toute la magnificence et la prestance de son rang. La jeune fille n'eut pas à chercher dans sa mémoire ce que le protocole avait prévu pour la suite de la cérémonie : les yeux baissés, elle tomba spontanément à genoux devant le roi du Techtamel.

Un murmure parcourut la foule rassemblée et Dahlia releva lentement les yeux, craignant d'avoir commis un autre impair. Mais les gens aux premiers rangs la contemplaient avec bienveillance, attendris. Le roi, quant à lui, l'observait avec un air satisfait ; la jeune fille supposa qu'elle était parvenue à lui plaire. Un froufroutement, à sa droite, précéda de peu la main tendue de l'aclla :

— Relevez-vous, ma chère, murmura-t-elle.

Dahlia posa sa main dans la sienne. Puis elle remarqua que quelqu'un d'autre, à sa gauche, lui tendait la main pour l'aider à se relever. Elle sourcilla en reconnaissant Cipactli. Même somptueusement vêtu, le front ceint d'un bandeau garni de plumes vertes et couvert de lourds bijoux d'or, l'être aux yeux de reptile n'en paraissait pas moins étrange. La jeune fille sentit son cœur battre plus vite lorsqu'elle osa poser les doigts dans sa paume offerte. Elle se releva, le plus gracieusement qu'elle le put, et se laissa guider jusqu'à l'autel.

Un prêtre vêtu d'un pagne brodé, le torse et le visage entièrement peints de symboles sacrés, purifia longuement l'autel avec des branches de sauge fumantes. L'odeur étouffante prit Dahlia à la gorge et elle faillit gâcher la solennité du moment en toussant. Au bord des larmes, elle parvint cependant à se contenir et Cipactli lui jeta un regard amusé. À nouveau, la jeune fille se demanda qui il était vraiment. Elle supposa qu'il devait être orphelin, lui aussi, étant donné que Deodato l'avait adopté. En tout cas, le roi devait éprouver pour Cipactli une réelle affection : il lui avait demandé de veiller sur sa fiancée pendant la cérémonie — symboliquement, bien sûr, mais c'était quand même un rôle que l'époux confiait à quelqu'un en qui il avait pleinement confiance. Dahlia découvrit qu'il n'était pas facile de se concentrer sur la cérémonie en cours, debout près de l'étrange jeune homme...

— J'accueille Dahlia Balamqui dans ma maison. Je jure de l'aimer et de la protéger, elle et toute sa famille si le besoin s'en fait sentir. Je jure de reconnaître pour mien tout enfant d'elle que les dieux choisiront de m'envoyer.

Le roi récita les paroles traditionnelles d'une voix ferme, tirant Dahlia de ses réflexions. Elle rougit, honteuse d'avoir laissé son esprit vagabonder en un moment aussi grave.

— *Tahtli-Primere*, je l'accueille aussi, telle qu'elle se présente à moi, annonça l'aclla en s'inclinant d'abord devant le roi, puis devant Dahlia.

— *Tahtli-Primere*, je l'accueille aussi, telle qu'elle se présente à moi, prononça le jeune homme aux yeux de reptile.

Il parlait la langue techta avec un accent déconcertant. On eût dit qu'il ne s'agissait pas de sa langue maternelle et que les sonorités lui posaient problème. L'idée bizarre que sa bouche éprouvait simplement du mal à bien articuler les mots effleura l'esprit de Dahlia... Le roi tendit les mains à sa fiancée et celle-ci se morigéna intérieurement une deuxième fois : elle se *mariait* au roi du Techtamel, ce soir ! Il s'agissait sans doute de l'événement le plus important de toute sa vie et elle s'en laissait distraire par un jeune homme à l'aspect exotique ! Confuse, elle posa ses mains dans celles de Deodato et s'agenouilla en même temps que lui, face à lui. Le prêtre entreprit alors de les ligoter ensemble.

Mais Dahlia ne s'intéressa pas longtemps à la cordelette d'or dont il encerclait ses poignets : l'accent de Cipactli la turlupinait toujours.

« En tout cas, ce n'est pas un Siate, car cet accent-là, je le reconnaîtrais facilement ! »

Dahlia aurait également été prête à parier que Cipactli ne venait pas des pays colonisateurs, au nord de la mer Séverine. Elle avait rencontré quelques visiteurs d'outremer, à Fort-Tecallican ; elle avait pu constater que lorsqu'ils parlaient le techta, ils négligeaient de prononcer les respirs, au milieu des mots, et roulaient les « r »...

Le prêtre fit boire aux nouveaux mariés une coupe de lait chaud abondamment sucré au miel. Dahlia et Deodato la tinrent ensemble, de leurs mains liées, et la jeune fille avala distraitement. Le fils adoptif du roi avait piqué sa curiosité et accaparait toutes ses pensées.

Le prêtre donna ensuite au roi et à la nouvelle reine une coupe de vinaigre de vin, dans laquelle ils durent tous deux tremper leurs lèvres. Mais parce qu'elle réfléchissait toujours à l'origine mystérieuse de Cipactli, Dahlia en avala une gorgée considérable avant de comprendre son erreur. Ce fut suffisant pour ramener ses pensées à la cérémonie en cours, pour de bon. Les larmes lui montant à nouveau aux yeux, la jeune fille parvint à ne

pas recracher le vinaigre au visage de Deodato, cependant elle ne put garder un visage
solennel. Elle grimaça avec beaucoup d'expres-
sivité. Le roi pinça les lèvres. Il se tourna vers
Cipactli, qui porta un quartier d'orange à sa
bouche, pour chasser le goût amer, et l'aclla
Canchetta en fit autant pour Dahlia.

— Relevez-vous, enfants ! tonna le prêtre
en levant les bras vers le grand candélabre
au-dessus de l'autel. Et puissent les dieux vous
accorder des jours agréables avant le grand
recommencement !

Les nouveaux époux se relevèrent tant bien
que mal, toujours liés par les poignets, sous les
vivats de la foule. Le roi fixa Dahlia et celle-ci
se mit à trembler de nervosité. Deodato allait
l'embrasser, elle qui n'avait jamais encore
embrassé personne et ignorait complètement
comment elle devait réagir...

Le roi Deodato se contenta de poser ses
lèvres sur les siennes. Le prêtre détacha
enfin les nouveaux mariés et, précédés par
Canchetta et Cipactli, ils quittèrent le temple
côte à côte, par l'entrée d'où était arrivé le
roi. Les flûtes se turent, les gens rassemblés
dans le temple se mirent à parler entre eux ;
la cérémonie était finie.

De l'autre côté du temple, un corridor
semblable à celui que Dahlia avait suivi

avec son oncle s'étirait vers l'est. La jeune fille savait que les appartements du roi se trouvaient dans la pyramide orientale du palais... À nouveau, elle se sentit très nerveuse : la cérémonie du mariage avait beau être terminée, il lui restait encore à vivre sa nuit de noces avec le roi...

— Je vous souhaite une excellente nuit, ma reine.

Le roi sourit aimablement à sa nouvelle épouse, qui ne trouva rien à répondre. Elle le laissa prendre ses mains dans les siennes pour y déposer un chaste baiser, elle salua du chef Cipactli lorsque celui-ci lui souhaita à son tour une bonne nuit et finalement, elle les regarda s'éloigner tous les deux, bouche bée. L'aclla Canchetta toussota, puis elle effleura l'épaule de Dahlia afin de la détourner du dos de son époux.

— Nous ferions mieux de retourner dans vos appartements, ma reine. Il faudra beaucoup de temps pour enlever toutes les parures, les bijoux et les vêtements.

Dahlia haussa les sourcils, complètement dépassée par les événements. Rien ne s'était déroulé comme elle l'avait escompté, pas même la courte cérémonie dans le temple. La désinvolture de l'aclla était bien le comble ! Elle la suivit néanmoins, comme une somnambule, se demandant si elle avait involontairement offensé le roi. Peut-être lui avait-elle déplu, peut-être l'avait-il jugée trop jeune pour être intéressante...

— N'oubliez pas que demain matin, vous donnez une réception en l'honneur de votre union, le roi et vous. Tous les nobles techtas y sont invités, en plus de nombreux dignitaires étrangers. Tous s'attendent à vous découvrir belle et gaie, aussi je vous conseille de profiter de tout le repos que vous pourrez.

— Alors Cipactli y sera aussi ?

— Évidemment. Mais pourquoi posez-vous cette question ? J'espère que vous ne le craignez pas ? Cipactli est certes le fils adoptif du roi, cependant vous ne devez pas vous inquiéter de lui. Lorsque vous donnerez un fils à Deodato, il conviendra d'éloigner Cipactli, afin qu'il ne se fasse pas de mauvaises idées en ce qui concerne le trône du Techtamel...

Déçue de la tournure des événements, mais le cœur papillonnant à l'idée de revoir dès le lendemain matin le jeune homme qui l'obnubilait, Dahlia suivit l'aclla Canchetta jusque dans ses appartements, mémorisant machinalement les nombreux détours des corridors. Elle passa sa nuit de noce seule.

# 7

# CIPACTLI

Le banquet du lendemain n'apporta ni réponse ni réconfort à la nouvelle reine. Les agaçantes spécialistes des frous-frous envahirent ses appartements dès le petit-déjeuner et Dahlia, encore toute retournée par le rejet du roi, faillit les renvoyer avec colère... Mais à la pensée que lors de la réception de ce matin, elle allait revoir Cipactli, elle tempéra sa mauvaise humeur. Elle toléra qu'on l'habille à nouveau comme une poupée. Elle exigea une coiffure plus simple que celle de la veille, cependant elle ne protesta pas quand Ambra lui perça les oreilles afin de suspendre des pierres précieuses à ses lobes. La jeune fille se laissa faire de mauvaise grâce, néanmoins elle se montra d'une patience exemplaire ; son père adoptif aurait été fier d'elle.

Comme Dahlia s'y attendait, l'aclla Canchetta vint la chercher pour la guider vers le grand hall du palais où se tenait la réception du mariage. Avant de quitter ses appartements, la jeune fille se mira dans le miroir suspendu près de son lit. Elle soupira, accablée : elle ressemblait *vraiment* à une poupée. Et hélas, tous les nobles de Zollan allaient la rencontrer pour la première fois aujourd'hui ! Ils se feraient une fausse idée d'elle, ils auraient l'impression que leur reine n'était bonne qu'à sourire et à porter de beaux vêtements...

La voyant si abattue, Ambra lui sourit, comme pour lui rappeler ce qu'elle lui avait promis la veille : tout devait changer, maintenant qu'elle était reine. Mais Dahlia craignait qu'il ne lui soit impossible de rester elle-même si tout le monde au palais la percevait comme une jolie poupée. Ce matin, n'eût été Cipactli, elle eût préféré rester cachée dans ses appartements.

Mais la nouvelle mariée ne pouvait rater la réception donnée en son honneur. Apparemment, ce banquet était une très ancienne coutume, propre au Techtamel. La culture du royaume devait certes beaucoup aux colonisateurs venus du nord, quelques siècles plus tôt, cependant la cérémonie du matin suivant le mariage existait longtemps avant leur arrivée — du moins, s'il fallait en croire l'aclla. Elle ne se fit pas prier pour lui expliquer que, traditionnellement, les époux se mariaient devant l'autel des dieux et se contentaient de partager un repas afin de sceller leur union. La nuit de noce suivait et si, au matin, les époux souhaitaient poursuivre leur vie ensemble, ils offraient un banquet aux parents et amis rassemblés pour l'occasion. Évidemment, après l'interminable nuit qu'elle venait de passer seule, Dahlia n'éprouvait qu'une envie : hurler qu'elle voulait retourner dans la sierra Gula et laisser une autre jeune fille devenir reine ! Elle doutait cependant que le roi Deodato ressente la moindre envie de respecter les anciennes coutumes. Après tout, il l'attendait depuis seize ans... Et les jeunes filles dont la naissance était saluée par une prophétie ne pouvaient changer d'idée au matin.

Surtout quand autant de gens s'étaient déplacés pour participer au banquet nuptial. Dahlia en eut le tournis ; assise entre le roi et l'aclla, la jeune fille n'arrivait pas à compter tous les invités qui s'étalaient devant elle. La cousine du roi, ne perdant aucune occasion de l'instruire, lui désignait discrètement les plus importants des invités :

— L'homme vêtu de noir, là-bas, arrive d'une lointaine péninsule des mers du sud. C'est un elfe, comme vous pouvez le remarquer à ses oreilles pointues... Le Techtamel commence à peine à commercer avec la cité dont il est l'émissaire. Le roi estime que cela nous sera extrêmement profitable !

Dahlia hocha la tête, captivée. Elle connaissait peu de choses, à part les conflits qui opposaient le Techtamel et le Siatek ; Fort-Tecallican était situé trop loin de tout pour qu'on y discute de quoi que ce soit d'autre. Mais la jeune fille était avide d'exotisme. Elle se réjouit de se trouver dans la capitale, là où tant de cultures différentes se côtoyaient. Canchetta nota avec une satisfaction évidente l'intérêt de la nouvelle reine. Elle ne ménagea pas ses efforts pour la renseigner sur ses nobles invités. Tant et si bien qu'à la fin du banquet, elles avaient toutes deux à peine touché aux aliments. Et Dahlia s'était à peine rendu compte que le roi ne lui avait pas adressé plus de dix mots consécutifs. Fort accaparé par le vieil homme assis à sa gauche, Deodato lui avait en plus à demi tourné le dos pendant tout le repas.

— Pouvez-vous m'en dire un peu plus au sujet du fidèle compagnon de mon époux ? demanda-t-elle à brûle-pourpoint à l'aclla.

— Oh, il s'agit d'Eneas dil Senecalès. C'est le père de feu l'époux de la noble Felzia, la sœur du roi...

— Non, je veux parler de Cipactli, le fils adoptif du roi.

Comme Ambra, l'aclla Canchetta mit du temps avant de répondre et Dahlia craignit qu'elle ne s'en abstienne tout à fait. La cousine du roi affichait un air glacé, comme si la question de la jeune reine la prenait de court. À son grand plaisir, cependant, Canchetta accepta de lui résumer l'histoire de Cipactli :

— C'est un enfant abandonné. Il doit avoir environ le même âge que vous... Le roi l'a trouvé dans les montagnes près de Yurraga. Il s'est vite pris d'affection pour lui et l'a élevé comme son fils.

— Mais ce n'est pas son héritier.

— Bien sûr que non, je vous l'ai déjà dit ! Personne n'accepterait Cipactli comme roi... Et d'ailleurs, en attendant que vous soyez enceinte d'un véritable héritier-pinzintli, le Techtamel a un héritier-machtli : le neveu du roi, c'est-à-dire le fils aîné de sa sœur. Vous le voyez, là-bas, assis près de la noble Felzia ? Près des bouquets de mimosas ?

Dahlia hocha à nouveau la tête, ignorant la suite des explications de l'aclla. Cipactli était assis, lui aussi, près des bouquets de mimosas. Il sirotait une boisson quelconque et regardait les gens autour de lui avec un ennui évident. Aujourd'hui, il était entièrement vêtu de vert. Il portait toujours le même bandeau garni de plumes et les mèches sombres de ses cheveux tranchaient admirablement bien sur le tissu blanc... Être éduqué par le roi lui avait donné une prestance royale ; lorsqu'il restait immobile, on parvenait même à oublier que Cipactli était en réalité aussi gracieux qu'une tortue hors de l'eau ! Malgré son charme insolite, personne ne venait lui parler — la jeune fille aurait pourtant cru que les nobles auraient sauté sur une si belle occasion de faire passer un message au roi, à travers son fils adoptif... Elle allait se lever et se diriger vers lui lorsque Deodato posa sa main sur la sienne.

— Ma reine, puis-je vous inviter à vous lever ?

Le roi avait une coupe de vin à la main, qu'il tendit à son épouse afin qu'elle boive à la santé de son nouveau royaume. La jeune fille en fut irritée ; un instant, elle avait cru que Deodato souhaitait lui parler... Elle parvint à sourire pendant le court discours de son époux, mais lorsque vint son tour de parler, elle découvrit qu'elle avait l'esprit vide. Et que le regard de centaines de paires d'yeux, vrillées sur elle, n'aidait guère à imaginer quelques phrases polies :

— Eh bien... Voilà ! Vous avez une nouvelle reine, commença-t-elle avec humour.

Elle perçut le raidissement du roi et jugea préférable de s'en tenir à des phrases plus conventionnelles :

— Je souhaite que les dieux soient heureux de nos choix et qu'ils continuent de sourire au Techtamel !

Dahlia avala une généreuse gorgée de vin, saluée par les applaudissements des invités. Le roi la remercia pour ses vœux simples et attira son attention sur une masse rectangulaire, au fond du grand hall, recouverte d'un drap orangé et parsemé de pétales de fleurs.

— En gage de mon affection, je vous offre ce présent.

Cipactli s'était sans doute trouvé posté là dans l'attente de ce moment. Il se leva maladroitement et retira le drap, révélant un meuble étrange, taillé dans un bois veiné de noir et laqué de façon à refléter la lumière du soleil comme un miroir. À l'avant, un ruban blanc parsemé de lignes noires évoquait un sourire...

— Il s'agit d'un piano que j'ai fait venir du Cortagal expressément pour vous l'offrir, ma reine.

Des murmures admiratifs fusèrent parmi les invités et Dahlia jugea préférable de taire sa complète ignorance de ce qu'était un piano.

— J'ai su de votre oncle Novio que votre douce mère jouait du piano, lorsqu'elle était enfant, et qu'elle possédait une oreille musicale exceptionnelle. J'espère que, comme elle, vous éprouverez de la joie à apprendre la musique et que bientôt, le palais résonnera de vos mélodies.

La jeune reine assura son époux que rien ne lui ferait davantage plaisir. Il promit de faire porter l'instrument dans une salle qui lui serait réservée, dans la pyramide occidentale du palais. Il lui révéla également qu'il lui avait déjà trouvé un excellent professeur, originaire quant à lui du Vispanise.

— Ma foi, vous amenez le monde à mes pieds ! s'exclama Dahlia avec une dérision qui échappa totalement à son époux.

La jeune fille eût nettement préféré visiter les pays dont le roi mentionnait les noms avec désinvolture...

— Et vous m'en voyez charmée. Êtes-vous également musicien ? Assisterez-vous aux leçons avec moi ?

— Je viendrai sans doute à l'occasion constater vos progrès...

La jeune fille remarqua le peu d'intérêt de Deodato. Comme elle s'y attendait, il trouva rapidement un prétexte pour la confier à nouveau aux bons soins de sa cousine — mais Dahlia avait autre chose en tête. Avant que Canchetta ne proteste, la jeune reine lui faussa compagnie et se hâta de rejoindre Cipactli près du piano. Feignant de s'intéresser aux touches lisses de l'instrument, elle engagea la conversation avec le jeune homme.

— C'est un bel objet, fit-elle en appuyant sur une touche blanche.

Plusieurs personnes se retournèrent en entendant la note grave et sourirent lorsqu'elles constatèrent que Dahlia expérimentait déjà les sonorités de son piano. Même le roi arbora un air satisfait, de loin. La jeune fille appuya sur quelques autres touches, au hasard, créant une mélodie simpliste, mais tout de même agréable à l'oreille.

— Je suis sûr... Vous saurez très bien jouer, dans peu de temps, articula Cipactli.

— Je voudrais partager votre bel enthousiasme ! s'esclaffa Dahlia. Cet instrument me semble encore plus difficile à maîtriser que la guitare !

Or, les soldats de Fort-Tecallican avaient longuement essayé de lui apprendre à jouer de la guitare, sans succès. La fille adoptive du colonel Jionus n'avait pas eu la patience de recommencer sans cesse les mêmes accords de base, elle aurait voulu être capable de jouer de la musique dès les premiers jours...

— Mais vous aimez la musique.

— J'aime bien en écouter, c'est vrai.

— Ça va. C'est pareil.

— Vous voulez dire... Ça va ensemble ?

Cipactli semblait avoir du mal à construire ses phrases. La veille, lorsqu'il s'était contenté de répéter des paroles rituelles, son manque d'aisance n'avait pas paru si flagrant. Dahlia n'avait noté que son accent bizarre. Aujourd'hui, les nombreuses hésitations du jeune homme piquaient sa curiosité de plus belle. Canchetta avait prétendu que le roi l'avait trouvé dans les montagnes de Yurraga... Mais cela n'expliquait pas ses origines étrangères ; les gens qui vivaient à la frontière sud du royaume ne parlaient certainement pas avec un accent différent de celui des habitants de la sierra Gula, c'était juste à côté !

— Non, non. C'est... vraiment pareil. On écoute, on joue. Les doigts suivent les oreilles.

À titre d'exemple, Cipactli posa ses deux mains sur les touches et appuya rapidement sur plusieurs à la fois. La mélodie qu'il improvisa était à la fois plus complexe et plus riche que les quelques notes jouées par Dahlia. Elle en fut sidérée.

— Le roi vous a offert un piano, à vous aussi ? Et des leçons ?

— Non. Je joue seulement... Je possède une flûte. Mais la musique est la même. Pas nécessaire d'apprendre.

— Quel dommage ! Vous avez un don...
Vous devriez assister aux leçons de musique
avec moi. Ça m'encouragerait...

— Peut-être.

Cipactli n'était sans doute pas tellement
plus maître de son temps que la jeune reine
elle-même. Néanmoins, elle se raccrocha avec
espoir à ce « peut-être ». Discuter avec le fils
adoptif du roi avait été l'événement le plus
intéressant de tout son séjour à Zollan. Elle
voulait croire qu'ils se reverraient souvent,
maintenant qu'elle était mariée à Deodato.
Ils pourraient partager quelques activités et,
si les dieux le voulaient, devenir des compagnons inséparables... Après tout, ils étaient
de la même famille !

Lorsque le banquet se termina et que le
roi revint enfin auprès de son épouse afin
de prendre congé, Dahlia ne fut pas vexée
d'être renvoyée à ses appartements. Sa brève
discussion avec Cipactli lui avait remonté le
moral. Elle laissa Deodato lui baiser les mains,
comme la veille au soir.

— Viendrez-vous me rendre visite... plus
tard ? lui demanda-t-elle cependant.

— En effet, j'ai prévu de passer vous voir en
début de soirée, répondit platement le roi. D'ici
là, je vous laisse aux bons soins d'Ambra.

Cela signifiait qu'il escomptait qu'elle passe le reste de la journée dans ses appartements, à l'attendre. La reine du Techtamel regagna donc son balcon, où elle se remit à faire les cent pas en songeant à sa prochaine rencontre avec Cipactli.

# 8

# MENSONGES ET VÉRITÉS

Les leçons de musique accaparèrent vite tout le temps de la jeune reine. Au début, elle y prit plaisir ; la brève démonstration de Cipactli lui avait insufflé le goût d'apprendre. Mais à mesure que passèrent les jours sans que ni le jeune homme ni le roi ne viennent assister aux leçons en sa compagnie, Dahlia perdit peu à peu tout intérêt pour le piano.

Par ailleurs, elle découvrit rapidement que la liberté promise à la reine ne s'étendait pas plus loin que les murs extérieurs du palais. Ambra la pilota dans les deux pyramides, répondant à ses nombreuses questions. Elle lui fit rencontrer tant de cuisiniers et de serviteurs qu'il semblait à Dahlia qu'elle avait vu défiler devant elle toute la maisonnée... Cependant il y avait dans le palais beaucoup de pièces dont les portes verrouillées ne devaient pas être ouvertes, même à la demande de la reine.

À l'extérieur aussi, Dahlia fut déçue : Ambra la confia à un jeune botaniste volubile qui se fit un plaisir de lui parler de toutes les plantes que l'on retrouvait à Zollan et dans la région, mais elle ne fut pas autorisée à s'aventurer dans la ville. Elle put s'approcher de la porte par laquelle elle était arrivée, le premier jour, mais Ambra ne la laissa pas traverser de l'autre côté. Les maisons aux murs pâles se dressaient pourtant à quelques pas d'elle, les artisans travaillant directement dans la rue, étalant leurs produits presque sous ses yeux...

— Il faudra attendre l'autorisation du roi, lui expliqua la noble-servante, laconique.

Dahlia s'était bien sûr attendue à ce que les choses se passent ainsi. Elle avait toujours su que les femmes du Techtamel obéissaient à la volonté de leur époux... Mais elle était la *reine* ! Elle *devait* visiter son royaume, apprendre à en connaître les gens... La jeune fille avait pris l'habitude de dire et de faire ce que l'on espérait d'elle, pour endormir la méfiance de Canchetta, d'Ambra et du roi. Mais au bout de douze jours, elle ne put tenir le coup ; elle éclata.

La leçon de musique se terminait et la noble-servante était revenue chercher Dahlia afin de l'escorter jusqu'à ses appartements, comme chaque jour. Le professeur vispanais récapitulait les exercices dont la reine devrait s'acquitter pour le lendemain — mais la jeune fille l'écoutait d'une oreille distraite. Aujourd'hui, Ambra avait dit qu'il était possible que le roi l'emmène chasser... Lorsqu'elle croisa le regard de la noble-servante cependant, Dahlia sut que l'activité était tombée à l'eau.

— Il... Il a annulé la partie de chasse ? demanda-t-elle, hésitante.

— En fait, le roi préfère que vous preniez d'abord des leçons avec son maître équestre...

Dahlia ne prononça pas un mot. Sa colère enfla brusquement et se condensa dans son poing — elle asséna un tel coup sur le plateau de sucreries qui trônait près du piano que les bonbons délicats voltigèrent à travers la pièce. Le présentoir de porcelaine tomba par terre et se fracassa en milliers de fragments.

— Je ne suis pas une enfant ! gronda-t-elle.

— Maître de Jovle, je crois que la reine prendra congé de musique, demain, annonça calmement Ambra.

— Demain et tous les autres jours du mois ! Je ne veux plus de leçons !

— Ma reine...

— L'aclla m'avait promis que je serais plus libre ! Elle avait dit...

Dahlia s'interrompit, consciente qu'elle parlait comme une gamine criant à l'injustice. L'aclla lui avait promis tout ce qu'il fallait pour que la fiancée du roi subisse son sort avec un minimum de docilité. Elle lui avait menti. Mais Dahlia avait accepté de la croire — elle avait *préféré* la croire plutôt que de se rebeller contre la volonté du roi et des dieux. Et à présent qu'elle se retrouvait prisonnière d'un palais, soumise à la volonté d'un époux qui ne s'intéressait pas à elle, il était trop tard pour regretter.

— Je suppose que Cipactli y va, lui ?

— Non. Cipactli déteste les chevaux. Allons, ma reine, soyez patiente. Qu'est-ce que ce sera ? Une brève leçon d'équitation...

— Patiente ? Je suis reine depuis douze jours et le roi n'est venu me visiter qu'une fois ! Et malgré mes demandes répétées, aucun des sorciers du roi n'accepte de discuter avec moi !

Ambra entraîna Dahlia dans le corridor frais qui reliait le salon de musique à ses appartements. Elle lui rappela qu'à l'occasion de la visite du roi et de la reine de LaParse, elle pourrait se rendre dans le port avec son époux.

— Bien sûr ! Je ne suis qu'une parure que Deodato exhibe à son bras lors des cérémonies officielles !

— Mais à quoi vous attendiez-vous donc de sa part ? s'emporta finalement Ambra.

Dahlia, surprise, dévisagea la noble-servante sans trouver les mots pour répondre. C'était la première fois qu'Ambra lui montrait autre chose qu'un visage stoïque et un calme parfait. Sa question, peut-être simplement rhétorique, la toucha droit au cœur.

— Eh bien... D'une part, j'aurais cru que le roi se soucierait... un peu... de moi.

La jeune reine aurait aimé se convaincre que seule sa liberté entravée la blessait. En réalité, le rejet du roi lui déchirait le cœur. La fière Dahlia ne pouvait l'accepter. Elle se raisonnait chaque soir, avant de s'endormir, lorsqu'il lui était plus difficile de combattre ses larmes : le roi ne représentait rien pour elle. Il avait beau avoir été le meilleur ami de son père, il restait pour elle un étranger. Elle n'avait que faire de son respect... Ou de son amour... Ces arguments raisonnables pouvaient masquer sa peine, mais pas l'effacer.

Ambra parut comprendre sa douleur. Elle effleura la joue de la reine en lui rappelant que le roi vivait sans épouse depuis toujours.

Il lui faudrait du temps pour réorganiser sa vie afin de lui ménager un peu de place.

— Je meurs d'envie d'aller chasser en sa compagnie ! lui rétorqua Dahlia, sa colère ravivée. Je voudrais m'asseoir dans la pièce où il rencontre les notables de toutes les régions et me contenter d'écouter leurs conversations. Ne me dis pas que ce serait difficile à caser dans son emploi du temps ! Je n'ai jamais prétendu bouleverser sa vie...

Ambra hocha gravement la tête. Elle promit d'en toucher un mot au roi. Mais lorsqu'elle s'éclipsa, après s'être assurée que la reine regagnait sagement ses appartements, Dahlia n'osa croire qu'elle s'en allait aussitôt voir Deodato. Ici, à Zollan, elle n'avait confiance en personne.

Quand la noble-servante revint dans les appartements de la reine, le lendemain matin, elle n'était pas seule. Elle avait réussi à convaincre l'un des astromanciens du roi de venir rencontrer Dahlia. L'homme ne ressemblait pas aux sorciers que la jeune fille avait vus à deux reprises. Plutôt qu'une ample toge noire, il portait des vêtements ordinaires, quoique impressionnants par leur richesse. Néanmoins, ce qui frappait surtout, dans la physionomie de l'astromancien, c'était la pâleur de sa peau et de ses cheveux. Ses boucles et son visage avaient la couleur du sable blond de la sierra Gula. Il se nommait Roldan Trouvere et était né dans un port de LaParse, le plus petit royaume du détroit séverin. L'homme avait d'abord navigué sur la mer à bord des chebeks de son père, mais lorsqu'il s'était arrêté pour la première fois à Zollan, il avait décidé de s'y établir. Il y avait quatre ans que le roi l'avait invité à résider dans son palais.

Dahlia, conquise, aurait pu l'écouter discourir pendant des heures. Son accent chantant lui plaisait, même si certains de ses mots étaient difficiles à comprendre. Elle lui demanda de lui parler des étoiles, lui demanda ce que l'avenir lui réservait... Roldan ne put s'empêcher de rire face à un tel enthousiasme :

— Pour *analysarira* le ciel et... *descoubrira* ce que les dieux vous réservent, ma reine, il me faudrait dessiner votre *carta astrale*. Mais cela demanderait beaucoup de temps ! C'est un travail *minusciosi*, très difficile ! Je ne peux pas juste regarder vos beaux yeux et faire une prédiction !

— Alors parlez-moi du Techtamel. Cet avenir-là, vous devez le connaître sur le bout de vos doigts, puisque c'est la raison de votre présence au palais.

Roldan se rembrunit. Dahlia, craignant de l'avoir offensé, s'empressa de préciser sa pensée : elle ne croyait certes pas que l'astro-mancien abusait des largesses de son époux, elle était au contraire persuadée que son rôle dans les décisions royales était primordial.

— Je vous avoue qu'à Fort-Tecallican, nous aurions aimé que vous jugiez le moment propice à une guerre contre le Siatek... Mais je ne vous garde aucunement rancune de vos conseils de prudence !

— Oh, croyez-moi, j'ai souvent l'idée que le roi *n'obedeceri* qu'à sa tête ! soupira l'as-tromancien.

— Mais... C'est pourtant sur les conseils de ses astromanciens que le roi a fixé la date de notre mariage.

— *Clario !* En cela, c'est vrai, il a suivi nos instructions à la lettre.

Néanmoins, si le roi avait accepté la date choisie par ses astromanciens, c'était surtout parce que les planètes formaient dans le ciel un symbole sacré : Tzacol, Chicuatli, Chiccan, Xipé et Alom s'étaient regroupées en croix. Cette formation astrale dans la constellation du Sable, alors même que l'ère du Sable tirait à sa fin, était suffisamment exceptionnelle pour que même le plus pragmatique des souverains y perçoive un signe.

— Et après les *variados* malheurs que la prophétie liée à votre naissance a *activarir*, le roi Deodato a préféré ne pas *ignorira* les conseils de ses astromanciens encore une fois !

— *Ignorira encore une fois*, répéta Dahlia, perplexe. Ignorer vos conseils ? Encore ?

Roldan Trouvere semblait tenir pour acquis que la reine savait de quoi il parlait, alors qu'en réalité, Dahlia n'en avait qu'une idée vague. La jeune fille leva les yeux vers Ambra — elle fut surprise de constater avec quelle intensité celle-ci la dévisageait. Sans un mot, la noble-servante hocha la tête, comme si elle cherchait à encourager sa curiosité.

— Vous n'êtes au palais que depuis quatre ans, Roldan, mais vous connaissez sûrement très bien cette prophétie... Est-ce de cela que vous venez me parler ?

— Tous les *sortilegiros* et les astromanciens du palais doivent connaître cette prophétie, ma reine ! Il semble que pour le roi, notre seule... *utilizassionne* soit de la contrecarrer : « Cette fille suscitera l'amour, l'envie et l'admiration. Cette fille dressera les Techtas les uns contre les autres, frère contre frère, et le royaume tel que nous le connaissons cessera d'exister. Cette fille poussera trois des plus grands héros du Techtamel à combattre leur roi... »

Dahlia poussa une exclamation catastrophée et se laissa choir sur une chaise, dans l'ombre d'un grand acacia de son balcon. Elle porta la main à son front, saisie de vertiges. Il y avait donc bien une prophétie terrible à son sujet ! Et ce qu'en disait Roldan ressemblait bien plus aux vagues souvenirs qu'Ina avait partagés avec elle à Fort-Tecallican qu'à l'histoire à l'eau de rose de l'aclla !

— Voilà pourquoi la rumeur prétendait que le roi épouserait sa pire ennemie ! balbutiat-elle. Mais je ne veux pas être la cause de ces malheurs !

— Le roi ne le veut pas non plus, croyez-moi, fit Roldan en s'installant à ses côtés. *Clario !* C'est bien pour ça qu'il vous a *espusarir* !

— C'est pour ça... Mais non ! L'aclla m'a expliqué que mon père était le meilleur ami du roi, autrefois. C'était dans le but de sceller cette amitié que Deodato avait promis de m'épouser !

Ambra apporta une troisième chaise sur le balcon et s'assit devant Dahlia et Roldan en arborant un air de conspiratrice. Baissant la voix, elle se pencha vers les deux autres et avoua que l'aclla Canchetta avait menti à la fiancée du roi sur bien des sujets, à la demande du roi Deodato lui-même. Celui-ci préférait que son épouse ignore en grande partie son passé et celui de ses parents, de crainte de la voir se rebeller contre lui.

— Mais je crois que c'est trop exiger de vous, ma reine, conclut la noble-servante. Si vous devez subir la haine du roi, si vous devez rester cloîtrée pour le bien du royaume... la moindre des choses est que vous en connaissiez la raison.

— Rester cloîtrée pour toujours ?

— On pourrait dire que le roi a lui-même *activarir* les malheurs qui ont suivi votre naissance, précisa l'asromancien. La volonté des dieux ne s'est pas... *unicamenta espressar* à travers la prophétie.

Roldan Trouvere entreprit donc d'expliquer à la reine à quoi ressemblait le ciel de Zollan, au moment de la prophétie. Seize ans plus tôt, Xipé et Alom formaient une triade avec la froide et minuscule Tepeu ; les astromanciens savaient depuis longtemps qu'une triade multipliait par trois les forces de chacune des planètes impliquées, aussi s'étaient-ils beaucoup inquiétés. Xipé étant une planète agressive et passionnée, elle transférait en général une grande partie de son énergie aux planètes qui s'en approchaient dans le ciel. Qu'Alom, planète des arts et de l'amour, s'en trouve tout près aurait dû paraître bénéfique... La présence au bas de la formation céleste de la planète Tepeu, maîtresse des secrets, compliquait malheureusement les prédictions. Avec Tepeu, il fallait toujours s'attendre à de grands changements : ce pouvaient être des métamorphoses douloureuses tout autant que d'harmonieuses renaissances...

— Et pour compliquer davantage la *carta astrale*, la planète Hunhau se trouvait alors dans l'une de ses phases *retrograda*... En plein dans le *signo astrale* du roi !

Voyant que Dahlia ne le suivait pas du tout, l'astromancien précisa :

— Hunhau est la planète qui gouverne notre *logica*, la façon dont nous comprenons ce qui se passe tout autour de nous. Lorsqu'elle est en *retrograda*, elle ne bouge plus. Alors on ne comprend plus ! Ou bien on comprend... à l'envers ! On obtient presque toujours le *contrarioli* de ce que l'on croyait devoir obtenir et quand on pense qu'on a bien compris quelque chose, on a... *erroliz* !

— Alors le roi... a mal interprété la prophétie, c'est ce que vous me dites ? Je vois mal comment c'est possible : ce que vous m'avez révélé de cette prophétie laisse assez peu de place à l'interprétation !

— Non, non. La prophétie était bien.

— Les quatre astromanciens qui se trouvaient au palais ont tous quitté Zollan à plus ou moins brève échéance, il y a seize ans, parce que le roi ne tenait pas compte de leurs conseils, intervint Ambra.

— Oh, Ambra ! Mais tu m'as dit que tu étais trop jeune pour te rappeler les événements de ce soir-là !

— C'est faux : je ne me souviens guère du sorcier de l'Eau, mais en revanche, ce qui s'est passé après sa prophétie reste gravé dans ma mémoire... J'avais huit ans et j'étais admise pour la première fois à un repas cérémonial aux côtés de ma mère.

— Tu aurais dû me le dire au lieu de me servir des demi-vérités !

L'astromancien balaya les protestations de Dahlia d'un geste de la main, comme s'il s'agissait de trivialités, et demanda à Ambra de le laisser poursuivre. De toute évidence, il brûlait d'expliquer la suite et ne souhaitait pas être interrompu :

— *Escutares !* Le soir de la prophétie, les quatre astromanciens ont tous *supplicar* le roi de revenir sur sa promesse de vous épouser. Ils ont prédit qu'une telle décision, alors que Hunhau était en *rétrograda* dans son *signo astrale*, ne pouvait être que mauvaise. Surtout avec Tepeu, Alom et Xipé !

— Mais le roi ne pouvait se permettre de revenir sur sa décision, expliqua la noble-servante. Il aurait perdu la face.

Ambra se rappelait la commotion qui s'était emparée de tous les nobles et notables réunis ; il avait fallu que le grand Tadéo et le roi s'interposent ensemble pour protéger la douce Cinzia et son bébé à naître, par avance maudit. Beaucoup auraient éventré la future mère dans l'unique but de contrecarrer la volonté des dieux. D'autres, plus calmes, se prétendaient disposés à attendre la naissance de l'enfant pour l'étouffer...

— L'aclla m'a dit que Deodato et mon père étaient de bons amis...

— Ils l'étaient, je crois, fit Ambra.

— Cependant, jamais elle ne m'a dit que si le roi avait décidé de m'épouser, c'était uniquement pour éviter une catastrophe !

— Au départ, c'était pour vous sauver la vie. Le roi Deodato a refusé qu'on tue le bébé de la prophétie. Il a dit qu'une telle abomination courroucerait très certainement les dieux et qu'il ne voulait pas que son règne débute dans le sang... Deodato n'était roi que depuis deux ans, alors. Il a promis de vous épouser, lorsque vous seriez en âge, afin de veiller à ce que vous ne puissiez anéantir le Techtamel. Il a aussi décrété qu'en attendant vos seize ans, il se chargerait personnellement de votre tutelle.

— Évidemment, il faisait là tout un honneur à mes parents...

— C'est ce qu'ils ont dit, en effet, en le remerciant publiquement de sa bonté. Deodato a donné des ordres afin que l'on installe votre mère au palais, dans la pyramide est, et Cinzia y a emménagé dès le lendemain. Après votre naissance, il était convenu qu'elle vous laisserait au palais, aux bons soins d'une nourrice royale.

La jeune reine éprouvait du mal à réfléchir tant était grande sa colère. La seule pensée qui rebondissait dans son esprit engourdi était que Canchetta l'avait trompée, depuis le début. Le roi ne l'avait pas éloignée de son père afin de la protéger de sa folie destructrice, il avait toujours eu l'intention de la séparer de ses parents ! Se remémorant brusquement le serment fait au dieu Yolihuani, la nuit où elle avait tenté pour la dernière fois de fuir son destin, la jeune fille pria pour que l'aclla paie ses mensonges de sa vie. Et si le dieu Pourvoyeur lui accordait cette faveur en plus de la liberté qu'elle lui avait demandée, elle espérait que l'aclla mourrait par ses mains. Il lui ferait plaisir de sacrifier le cœur de la perfide menteuse au dieu androgyne...

— L'aclla m'a menti. Mon père adoptif ne m'a rien dit. Le roi, *mon époux*, préfère me garder dans l'ignorance...

— C'est bien pourquoi il fallait que *moi*, je vous parle ! conclut la noble-servante.

— Maintenant que la vérité est *revelarir*, voulez-vous toujours que je dessine votre *carta astrale*, reine Dahlia ?

La jeune fille remercia l'astromancien de bien vouloir se pencher sur son avenir, mais elle refusa. Elle croisa les bras sur sa poitrine, les poings serrés, pour se retenir de hurler : elle ne savait plus que penser ! Une part d'elle était reconnaissante au roi, puisqu'il avait fait en sorte qu'elle vive. Néanmoins, elle regrettait que Deodato ne lui ait pas narré cet épisode de son passé lui-même. La malédiction qui pesait sur ses épaules n'aurait pas dû empêcher son époux de lui témoigner aujourd'hui un peu de cette bonté dont il avait pourtant su faire preuve avant sa naissance... Dahlia ne parvenait pas à décider, non plus, si elle consentirait à rester prisonnière du palais de Zollan jusqu'à la fin de sa vie afin de sauver le Techtamel. Elle ne savait si elle aimait son royaume à ce point.

\* \* \*

*Dahlia observait le ciel nocturne, profitant de la fraîcheur. Depuis quelques jours, elle préférait rester postée à la fenêtre de sa chambre plutôt que de descendre dans les jardins, où*

*Amaryllis se baladait chaque nuit. Impossible pour Dahlia d'échapper tout à fait à la jeune sorcière des Herbes, néanmoins : les étoiles la lui rappelaient invariablement...*

*Ce soir, malgré les nuages et la pluie fine qui masquaient les étoiles, la jeune fille songeait à ses deux sœurs. Il n'était pas difficile de deviner que Capucine se trouvait en compagnie du demi-elfe Tienko, mais Amaryllis... Les dieux seuls pouvaient deviner à quoi s'occupait Amaryllis quand elle n'était pas dehors à observer les astres ! Cela laissait Dahlia de marbre. De ses deux sœurs, elle préférait Capucine ; Amaryllis lui ressemblait trop pour qu'elles n'entrent pas régulièrement en compétition. Vivre auprès de sa sorcière de sœur faisait partie des sacrifices consentis par Dahlia afin que sa vengeance puisse s'accomplir. Mais une fois cela fait, il y avait peu de chances pour qu'elles restent toutes deux à Zollan. Et puisque l'héritier-machtli semblait être tombé sous le charme d'Amaryllis, ce serait à Dahlia de partir. Cette idée lui plaisait : la jeune fille avait eu l'occasion de goûter à la vie des mercenaires et elle brûlait de retourner avec eux dans le désert.*

*Ses pensées changèrent de cap et elle se demanda ce que ferait son père, une fois Deodato mort. La veille, l'ancien général Tadéo était revenu victorieux du domaine Petite Paleta,* mais il avait été si occupé avec Lucio qu'il n'avait pas eu le loisir de passer beaucoup de temps avec ses filles... Dahlia reconnut son pas lorsqu'il pénétra dans la chambre des triplées. Elle le laissa venir jusqu'à la fenêtre avant de se retourner.

— Dommage que le ciel soit masqué, encore ce soir. Je crois que ta sœur enrage de ne pouvoir observer les constellations...

Dahlia haussa les épaules. Elle aurait préféré que son père ne commence pas par lui parler d'Amaryllis.

— À quoi penses-tu, ma guerrière ?

— Aux planètes, mentit Dahlia.

— Bien sûr. La formation cruciforme des planètes tire à sa fin, à ce qu'il paraît. Xipé en sortira bientôt.

— Vous savez qu'Amaryllis a toujours raison, père... Mais je pensais plutôt à la triade, au soir de la prophétie. Est-ce que je vous ai parlé de l'astromancien du roi ? Roldan Trouvere...

Dahlia avait oublié de confier à son père cette partie de sa vie au palais. Elle entreprit donc de partager avec lui les conclusions de l'astromancien royal quant aux mauvaises décisions prises par le roi, dix-sept ans plus tôt. Lorsqu'elle eut terminé, elle lui demanda ce qu'il en pensait... Et ce qui se serait produit, à son avis, si Deodato avait suivi les conseils de ses quatre astromanciens.

— Les conseils de ses astromanciens, ceux de ses sorciers ou encore les miens... Ce Roldan a raison : Deodato ne tient compte que de lui-même, Dahlia. Il est ainsi. Il faut toujours, pour l'influencer, lui donner l'impression que les bonnes idées viennent de lui.

Tadéo était bien placé pour le savoir : il avait été le général de Deodato à l'époque où celui-ci n'était encore que l'héritier-pinzintli du royaume. Ils avaient combattu ensemble les Siates, à la frontière du Techtamel. Après son accession au trône, Tadéo était resté son principal conseiller.

— D'accord, mais que se serait-il passé si...

— S'il avait laissé les nobles éventrer ta mère ? C'était la seule autre option, après la prophétie.

— Non ! S'il n'avait pas décidé d'épouser l'une de nous trois ! S'il vous avait laissés fuir Zollan, s'il avait feint de ne pouvoir vous retrouver... S'il avait respecté la volonté des dieux et laissé les choses suivre leur cours !

— Beaucoup de gens ont été heureux de nous trahir, ta mère et moi. Deodato n'aurait pas pu nous laisser filer... Encore aurait-il fallu qu'il le souhaite ! Mais Deodato n'est pas comme ça. Même devant les dieux, il ne ploiera jamais l'échine !

Tadéo recommença à narrer à Dahlia ce qui s'était produit, après sa naissance et celle de ses sœurs. C'était une histoire que l'ancien général se plaisait à répéter, comme s'il lui fallait régulièrement alimenter sa rancune...

Après la naissance des triplées, le roi et son entourage avaient été désorientés pendant toute une journée ; trois fillettes plutôt qu'une seule, évidemment, cela compliquait la compréhension de la prophétie. Et malgré sa promesse, seize ans plus tard, le roi ne pourrait épouser qu'une seule jeune fille ! Deodato aurait voulu que quelqu'un lui dise laquelle choisir... Mais face aux bébés encore tout fripés, même les sorciers n'osaient se prononcer.

— J'enrageais en silence de voir Deodato décider de l'avenir de mes propres filles. Je ne souhaitais pas qu'à seize ans, l'une d'elles doive épouser un homme assez vieux pour être son père ! Depuis le soir de la prophétie, je me demandais comment faire changer Deodato d'avis... Quand j'ai vu que vous étiez des triplées, ça a été pire : j'ai immédiatement compris qu'il devrait choisir l'une d'entre vous et tuer les deux autres ! Voyant que Deodato hésitait à prendre une décision, je me suis dit que le moment était propice à une évasion.

*La nuit suivant la naissance des triplées,*
*Tadéo s'était introduit dans la chambre de son*
*épouse. Grâce à la collaboration de quelques*
*fidèles compagnons d'armes, il avait réussi à*
*faire sortir Cinzia et les trois bébés du palais.*
*Ils avaient fui vers l'est. Mais l'alarme avait été*
*donnée. Il n'était pas facile pour une femme à*
*peine remise de ses couches de voyager à bride*
*abattue et encore moins pour trois délicates*
*petites filles... Le général avait cru préférable de*
*trouver refuge chez Novio, le frère cadet de son*
*épouse, en attendant que les routes deviennent*
*plus sûres pour sa famille. Mais Novio avait*
*été le premier à les trahir, les livrant tous les*
*cinq aux soldats du roi lorsque ceux-ci s'étaient*
*présentés pour fouiller sa demeure. L'ancien*
*général et ami du roi s'était donc retrouvé dans*
*les cachots de Zollan et la pauvre Cinzia avait*
*dû revenir au palais avec les triplées.*

*Entre-temps, le roi avait pris une décision :*
*il séparerait les triplées. Il les confierait à des*
*inconnus, sans révéler à qui que ce soit leur*
*véritable identité, chacune dans une région*
*différente du royaume — une région isolée, de*
*préférence. Ainsi, Deodato comptait assurer*
*leur sécurité : il ferait en sorte que nul ne sache*
*où les fillettes seraient cachées. Personne ne*
*pourrait donc essayer de les supprimer dans*
*le but de contourner la prophétie... Et pendant*

seize ans, le roi pourrait s'assurer en catimini que les enfants de la prophétie ne causaient aucun tort au royaume. Il les observerait de loin et se donnerait le temps de choisir sa future épouse.

— Il a même eu le culot de venir m'exposer ses plans en personne dans mon cachot ! Il se pavanait comme un paon, convaincu d'avoir choisi la meilleure solution...

Le général ignorerait sans doute toujours si Deodato avait fait de même avec Cinzia. Avait-elle refusé qu'on lui vole ses enfants ? Avait-elle résisté, ce qui avait obligé les sbires du roi à l'assassiner ? Tadéo en doutait : sa douce épouse n'aurait jamais eu le cran de tenir tête à son souverain. Il jugeait plus probable que l'on ait drogué ses aliments d'un puissant soporifique et enlevé les bébés pendant son sommeil. L'aclla avait prétendu par la suite que Cinzia s'était suicidée — peut-être de douleur à la suite de la perte de ses petites filles et de son époux, mais de cela non plus Tadéo ne pouvait être sûr. Dahlia elle-même, pendant son bref séjour au palais de Zollan, n'avait rien pu apprendre de certain.

— Je suis parvenu à m'évader de prison, mais trop tard pour la sauver, termina Tadéo. Quel idiot j'ai été : sitôt libre, j'ai essayé de tuer le roi ! Comme ça, sur un coup de tête et aveuglé par la colère !

*La tentative d'assassinat s'était soldée par un échec. Encore une fois, Tadéo avait été trahi. Par un ami, cette fois : Itztli Chillos. Plusieurs des compagnons du général avaient trouvé la mort aux mains des soldats du roi. Tadéo, lui, avait dû se résoudre à fuir. Inlassablement poursuivi par les armées qu'il avait auparavant dirigées, il s'était réfugié dans le désert du Tamaris, repaire des hors-la-loi et des mercenaires sans patrie... Mais la guerre n'avait pas tardé à éclater au Mahcutal et pendant plus de dix ans, c'était là-bas que Tadéo avait trouvé à s'employer, parvenant presque à oublier Deodato dans la fureur des combats.*

*Amaryllis fit irruption dans la chambre où se trouvaient sa sœur et son père. Une odeur de fumée collait à ses vêtements. Elle dévisagea un instant Tadéo et Dahlia, puis annonça platement :*

*— Je sais où nous trouverons Itztli Chillos.*

# 9

# ESCAPADE NOCTURNE

Le soleil couchant saupoudrait la mer Séverine de millions de poussières d'or et ambrait
les voiles des bateaux qui y voguaient. Dans
le port de Zollan, les mâts délestés de leurs
voilures étaient si nombreux qu'on eût dit
qu'une forêt effeuillée avait poussé là pendant
la journée...

Dahlia se tenait accoudée au parapet de son
balcon, admirant la beauté du paysage. Son
esprit restait néanmoins dans le grand hall du
palais, là où la fête en l'honneur du roi et de la
reine de LaParse se poursuivait sans elle. La
jeune fille n'avait pu tenir le coup : il y avait
trop de gens au palais, depuis la veille, et la
succession de cérémonies officielles lui avait
laissé un mal de tête lancinant. Le calme du
désert lui manquait plus que jamais.

Ambra pénétra dans les appartements de la
reine à pas feutrés et la rejoignit sur le balcon.

Sans un mot, la noble-servante entreprit de dénouer la chevelure de Dahlia, retirant les pinces et les rubans qui maîtrisaient ses boucles. La jeune fille l'en remercia distraitement.

— Vous êtes revenue à vos appartements sans moi.

— Je ne voyais pas pourquoi tu te serais privée de la fête, expliqua Dahlia en haussant les épaules. Je sais très bien me repérer dans le palais, maintenant.

— Mon rôle est de vous accompagner partout et de satisfaire vos besoins...

— Cipactli s'est offert pour m'accompagner, c'était bien suffisant.

Ambra n'ajouta rien. Elle rentra à l'intérieur et s'activa autour du lit, comme chaque soir, préparant la robe de nuit de la reine, faisant bouffer ses coussins... Dahlia aurait cent fois préféré dormir sur le balcon, là où le vent chargé des odeurs de la mer était plus frais. Elle avait renoncé à demander qu'on lui trouve un hamac ; même si Ambra prétendait satisfaire ses besoins, l'agaçant protocole entravait régulièrement les désirs de la jeune reine et la noble-servante s'y conformait scrupuleusement !

— J'ai posé la statuette de Chimalmat près de votre lit, l'informa Ambra en revenant sur le balcon.

Dahlia tourna la tête et contempla l'intérieur de ses appartements. La statuette en or massif, cadeau de la charmante reine de LaParse, représentait la déesse protectrice de la famille avec son énorme ventre fécond. Il était en effet de coutume, dans les pays au sud de la mer Séverine, de placer une effigie de Chimalmat près de sa couche lorsque l'on souhaitait porter rapidement un enfant. Dahlia sourit, amère : elle, en tout cas, ne risquait pas de tomber enceinte, malgré les pouvoirs d'une statuette en or bénie par un prêtre de LaParse ! Non que la jeune fille souhaitât vraiment être mère ; il lui semblait seulement qu'après l'avoir attendue pendant seize ans, son époux aurait dû se montrer impatient d'engendrer un héritier-pinzintli...

Certes, en attendant, le neveu du roi faisait un excellent héritier pour le trône du Techtamel. On disait l'héritier-machtli courageux et déjà bien avisé lorsqu'il était question d'affrontements militaires, mais Lucio dil Senecalès restait un pis-aller. Il valait toujours mieux, pour la stabilité d'un royaume, que son souverain ait un fils, un véritable héritier-pinzintli dont personne ne remettrait en doute l'héritage.

Mais encore aujourd'hui, seul Cipactli s'était vraiment intéressé à la jeune reine. Celle-ci avait pourtant essayé de participer aux conversations du roi. Accrochée à son bras, vêtue et coiffée de façon à éblouir les souverains de LaParse, elle s'était dit que c'était le meilleur moyen d'attirer l'attention de son époux. Sans jamais cesser de sourire, elle avait posé des questions au sujet du royaume de LaParse — des questions qui trahissaient son ignorance, évidemment, mais qu'elle avait jugées pertinentes... Puis, lorsque la conversation avait évolué sur la guerre latente entre le Techtamel et le Siatek, elle avait à nouveau osé prendre la parole. Elle connaissait bien le climat de tension qui régnait sur la frontière. Mais Deodato n'avait pas semblé apprécier ses interventions. Surtout lorsque la reine parsoise avait voulu savoir à quoi ressemblait la vie dans le désert et que Dahlia s'était lancée dans une description enflammée de la sierra Gula...

Les deux rois s'étaient assez rapidement éloignés, laissant leurs épouses aux bons soins de Cipactli, et la conversation avait glissé vers les plantes. Dahlia connaissait la végétation du désert sur le bout de ses doigts. Mais quand la reine de LaParse s'était mise à parler de sorcellerie des Herbes, émettant le souhait de rencontrer un sorcier techta afin de comparer ses méthodes avec celles des sorciers parsois, la jeune reine du Techtamel n'avait pu lui être d'aucune aide. Il avait donc fallu que l'étrange fils adoptif du roi prenne les choses en main.

Dahlia avait suivi les lents zigzags de Cipactli à travers les invités non par intérêt pour la sorcellerie des Herbes, mais plutôt parce qu'elle n'avait pas osé aller rejoindre son époux. De loin, elle le voyait rire à gorge déployée en compagnie de nobles techtas et parsois ; son attitude contrastait beaucoup avec la retenue guindée dont il faisait preuve en sa compagnie. Ambra, de son côté, profitait de la fête pour passer un peu de temps avec ses frères et sœurs... Cipactli s'était aperçu de la tristesse de la jeune fille. Une fois la reine parsoise confiée au vénérable sorcier des Herbes royal, le jeune homme aux yeux de reptile avait entraîné Dahlia à l'écart de la cohue. Ils avaient passé près d'une heure ensemble, à siroter du vin doux, se découvrant nombre de points communs, dont l'amour du désert n'était pas le moindre. Cipactli avait parlé à la jeune fille du désert du Tamaris, qu'il connaissait apparemment très bien ; il lui avait décrit les magnifiques piliers de grès rouges, sculptés par le temps, qui dominaient l'immense vallée de la rivière Mixcoa, et les tribus de nomades pyrrhuloxias qui vivaient dans les nombreux canyons de la région...

— Ma reine, méfiez-vous de Cipactli, fit soudain Ambra, interrompant les réflexions de Dahlia.

La jeune reine haussa à nouveau les épaules. Elle ne voyait pas pourquoi elle se serait méfiée du seul être, à part la noble-servante, qui lui montrait de la sympathie.

— Il n'est pas... Il n'est pas comme nous. Il est bizarre, on ne peut jamais prévoir ses réactions.

— Il s'agit du fils adoptif de mon époux. Malgré son air étrange et ses maladresses...

— Personne ne l'aime, au palais ! Personne, dans tout Zollan, ne lui fait confiance ! Il est dangereux.

Dahlia ne tenta pas de le nier. En présence du jeune homme, elle aussi ressentait une nervosité qui ressemblait à de la peur. Mais si tout le monde y réagissait en évitant Cipactli, la jeune reine, quant à elle, avait la ferme intention de maîtriser cette émotion dérangeante en côtoyant le plus souvent possible le fils adoptif du roi. Sa conversation avec Cipactli lui avait remis en tête ses rêves de voyage. C'était sans doute pourquoi, cette fois, elle n'avait pas attendu que le roi lui suggère de regagner ses appartements avant de quitter la fête qui l'ennuyait. Deodato n'avait sans doute pas apprécié son initiative — il avait pincé les lèvres. Mais Dahlia s'en fichait. Son époux ne ressentait peut-être aucune envie de la connaître vraiment, mais elle l'obligerait à se rendre compte qu'elle possédait une personnalité et une volonté qui lui étaient propres. Et si elle choisissait de rester enfermée au palais pour toujours afin de contrer la prophétie, il faudrait que le roi sache qu'il s'agissait bel et bien d'un choix de sa part.

Préoccupée par les idées qui naissaient dans son esprit en ébullition, Dahlia laissa Ambra l'aider à se déshabiller pour la nuit. Elle se glissa dans son lit et remercia la noble-servante quand celle-ci tendit tout autour le filet qui gardait les moustiques à l'écart. Mais au moment où Ambra allait partir, la jeune reine la surprit par une question inattendue :

— Roldan Trouvere et toi, vous ne m'avez pas parlé de mes parents. Si l'aclla m'a menti, alors mes parents sont-ils vraiment morts ?

La noble-servante hésita un moment. Elle revint néanmoins vers le lit, écarta le filet et se glissa en dessous, afin de pouvoir chuchoter à l'oreille de Dahlia :

— Une cérémonie funèbre a été donnée en l'honneur de votre père, après sa révolte. Mais... s'il est mort, nul n'a jamais découvert son corps ! Du moins, à ma connaissance.

C'était ce que l'aclla avait expliqué à Dahlia. À ce sujet, au moins, il apparaissait qu'elle lui avait dit la vérité.

— Quant à votre mère... Oui, elle est morte. Mais pas des suites de votre naissance, comme vous semblez le croire. Je ne suis pas étonnée que Canchetta vous ait menti au sujet de dame Cinzia, car elle a participé de très près aux événements qui ont conduit à son décès ! Vous vous souvenez, je vous ai dit que vos parents devaient vous laisser au palais, quelques jours après votre naissance ? Quand le moment est venu, ils n'ont pu s'y résoudre. Ce fut la raison de la révolte de votre père... Et aussi de celle de votre mère.

Dahlia étouffa une exclamation de surprise et pressa Ambra de poursuivre. La noble-servante ignorait ce qui s'était produit, exactement, dans les appartements de la douce Cinzia ; dès le moment où le bébé de la prophétie était né, nul n'avait plus été autorisé à visiter la jeune mère. Cependant, Ambra et ses sœurs ne furent pas les seules à surprendre l'arrivée de la nourrice au palais... Et à entendre les cris et les suppliques de Cinzia.

— Je crois qu'elle aurait tout donné pour que le roi l'autorise à rester auprès de vous ! Mais Deodato s'est montré intraitable.

Il avait mandé l'aclla auprès de la mère éplorée et Canchetta avait passé la soirée et toute la nuit avec Cinzia. Elle n'était sortie de ses appartements qu'une fois, pour aller aux cuisines chercher une tisane calmante... Au matin, la nouvelle de la mort tragique de Cinzia avait rapidement fait le tour du palais, consternant tout le monde.

— Je ne sais pas ce qui s'est passé, cette nuit-là. La nourrice a été renvoyée et nous avons appris que le roi préférait éloigner le bébé qui portait malheur... Mais une chose est certaine : l'aclla est la dernière à avoir vu votre mère vivante. Ne pensez pas la convaincre de vous révéler la vérité, cependant ! À l'époque, elle a prétendu que Cinzia avait profité de sa courte absence pour s'enlever la vie. Elle s'en tiendra à cette version si vous la questionnez.

À son air, Dahlia devina qu'Ambra doutait de la véracité de cette explication. Ébranlée, elle la remercia à nouveau et la laissa partir. Évidemment, après de telles révélations, la jeune reine ne réussit pas à trouver le sommeil. Le mystère entourant le décès de ses deux parents la taraudait... Elle finit donc par se relever et se rhabiller, convaincue qu'il lui fallait discuter avec son époux. Elle détestait les secrets et ne voulait pas rester seule dans son lit à échafauder des hypothèses ridicules.

La reine du Techtamel ne possédait plus les pantalons masculins dont elle aimait se vêtir à Fort-Tecallican, mais une jupe ample et courte lui permettrait tout de même une grande liberté de mouvements... Dahlia passa par-dessus le parapet de son balcon et entreprit de descendre jusqu'à la terrasse du niveau inférieur en s'accrochant aux interstices entre les pierres du palais.

L'exercice s'avéra plus facile qu'à Fort-Tecallican : le palais était un édifice très ancien, une pyramide constituée de gros blocs de pierre beige. Aucun mortier ne les soudait ensemble, au contraire des murs plus récents du fort, érigés après que les royaumes du nord eurent envahi le Techtamel. Cette technique de construction laissait amplement d'espace pour les doigts et les orteils menus de Dahlia... La jeune fille se demanda tout à coup ce que son père adoptif aurait imaginé comme punition pour la reine du Techtamel s'il l'avait découverte là, agrippée au mur du palais comme un gecko ! Dans l'immédiat, bien entendu, la réaction du roi était davantage à redouter. Mais Dahlia n'avait pas l'intention d'être surprise dans une position aussi peu royale ; elle descendit agilement jusqu'à la terrasse, où elle se dissimula derrière un large arbuste de daturas odorants. Elle prit le temps d'observer l'endroit.

La terrasse prolongeait une galerie couverte. À cette heure, il semblait que nul n'errait plus dans les corridors du palais, néanmoins Dahlia préférait se montrer circonspecte. L'expérience lui avait démontré que la hâte engendrait l'imprudence : chaque fois qu'elle s'était fait prendre, après l'une de ses fugues, ç'avait été à cause de son impatience. La jeune fille tendit l'oreille. Au bout d'un moment, elle perçut des pas cadencés dont elle reconnut le rythme : il semblait que tous les soldats marchaient d'un même pas, pendant leur tour de garde ! Elle patienta encore, pour apprendre combien de temps séparait chacun des passages des gardes du palais. Elle ne bougea que lorsqu'elle fut relativement sûre de pouvoir courir vers une autre cachette sans risquer d'être surprise.

La galerie n'était éclairée que de loin en loin, par des lampes à l'huile boulonnées aux murs. Cet éclairage ménageait de grandes zones sombres où Dahlia s'arrêtait parfois, aux aguets au ras des murs. Elle suivait le rythme des soldats. Quand elle passait devant les portes en ogives de la galerie couverte, elle en faisait discrètement jouer la poignée. Mais toutes étaient verrouillées. Dahlia commençait à craindre de devoir retourner bredouille à ses appartements quand, enfin, une porte se laissa ouvrir. La jeune fille se faufila à l'intérieur du palais, le cœur battant la chamade. Il ne lui restait plus qu'à traverser dans l'autre pyramide du palais, celle du roi. Elle ne doutait pas de trouver facilement son chemin jusque-là, mais la noble-servante ne lui avait jamais permis d'approcher des appartements de Deodato...

Par chance, une fois dans la pyramide du roi, les voix guidèrent Dahlia : au détour d'un corridor, elle reconnut le timbre grave et l'élocution raffinée de son époux. Il chantait. De saisissement, la jeune fille s'arrêta net et prit le temps d'écouter la mélodie. Deodato fredonnait un chant de guerre, accompagné d'un petit tambour militaire, et son épouse dut admettre qu'il avait beaucoup de talent.

« Dire qu'il n'est venu assister à mes leçons de piano qu'une fois, alors qu'il apprécie manifestement la musique ! Et qu'il y excelle ! »

Elle n'était pas la seule à le penser, apparemment : deux gardes se trouvaient postés devant la porte des appartements du roi et, à en juger par leurs sourires, leur quart de travail leur plaisait. Dahlia grimaça de dépit ; le palais de Zollan était autrement mieux gardé que Fort-Tecallican ! Il n'y avait sans doute rien là d'étonnant ; avec la menace constante d'une guerre contre le Siatek, le roi Deodato se serait montré bien inconscient s'il avait laissé sa demeure ouverte à tous vents. Mais sa prudence mettait la visite-surprise de son épouse en péril. Heureusement pour elle, la jeune reine était à la fois débrouillarde et têtue. Elle revint sur ses pas.

Son meilleur atout restait son talent de grimpeuse. Elle n'avait guère éprouvé de mal à descendre de son balcon, elle parviendrait sans doute plutôt bien à grimper jusqu'à celui de son époux... Les deux pyramides du palais étaient construites exactement de la même façon. L'étage situé juste en dessous des appartements du roi se terminait donc également sur une galerie couverte et une terrasse parsemée de maints buissons fleuris. En zigzaguant d'un arbuste à l'autre, la jeune fille n'eut qu'à se fier à la musique pour localiser le balcon de Deodato. Elle leva la tête vers le sommet du palais.

Chacun des étages de la pyramide était ceinturé de balcons à demi couverts. La plupart ressemblaient à des jardins tant ils étaient ornés de végétation luxuriante : des wédélies à fleurs jaunes, des bigones et de l'anis étoilé, au parfum si caractéristique... Jusqu'aux palmiers et caryers blancs, plantés dans des vases démesurés, qui ponctuaient les balcons à intervalles réguliers ! Dahlia estima que pour grimper jusqu'au balcon du roi, elle n'aurait pas plus de quatre mètres à escalader. Comme elle l'avait fait pour échapper à ses propres appartements, la jeune fille enjamba le parapet de la terrasse et s'agrippa à la pierre du mur.

Le ciel couvert rendait les choses plus simples pour Dahlia : si la lune avait brillé, au-dessus du palais, la jeune fille aurait craint d'être surprise au milieu de sa périlleuse gymnastique illicite. Elle ignorait comment son époux aurait réagi si les soldats l'avaient brutalement capturée, croyant avoir affaire à un assassin siate... Elle supposait que, comme le colonel Jionus, il se serait cru obligé de lui infliger un châtiment mémorable. La jeune reine bénissait les dieux d'avoir fait en sorte que cette nuit, vêtue de noir, elle puisse se fondre dans les ombres.

En soufflant, Dahlia se hissa par-dessus le parapet du balcon du roi et massa un instant l'extrémité de ses doigts douloureux. Elle tendit l'oreille : pendant sa lente ascension du mur, Deodato avait cessé de chanter. La grimpeuse en fut déçue. Elle se laissa glisser sur le balcon et, rasant le mur, s'approcha en silence de la porte qui ouvrait sur les appartements de son époux. La lumière chaude et vivante des chandelles, mêlée à l'agréable odeur de la cire d'abeille, s'échappait des appartements royaux. Des voilages flottaient devant la porte, masquant les détails du décor dans lequel Deodato vivait, mais Dahlia reconnut l'éclat de l'or. Les murs de la chambre du roi semblaient entièrement couverts d'or ! Dahlia fut reconnaissante à l'aclla de lui avoir choisi des appartements plus sobres...

— Alors, dis-moi pourquoi tu voulais me voir seul.

Dahlia sursauta en entendant la voix grave de son époux. Se croyant découverte, elle fit un pas hors de l'ombre en direction des voilages — les mots hésitants de Cipactli lui révélèrent que le roi s'adressait en réalité à son fils adoptif. Elle recula vivement, priant pour que personne n'ait aperçu sa silhouette sur le balcon.

— La reine... me rend mal à l'aise, avoua Cipactli.

— Ah ? C'est parce qu'elle est si belle, peut-être. J'avoue que je m'éveille parfois en songeant à ses grands yeux noirs...

— Non ! Ce n'est pas ça !

Il y eut un silence et Dahlia espéra qu'elle seule pouvait entendre les battements désordonnés de son cœur.

— Je ne comprends pas, Cipactli. À ton âge, tu devrais commencer à éprouver du désir.

— Les dieux m'en préservent ! Où cela... me mènerait-il ?

La voix rauque de Cipactli, chargée de regrets qui transparaissaient malgré son accent, frappa la jeune fille sur le balcon. Elle se rendit soudain compte qu'elle épiait une conversation privée et que, sans doute, le fils adoptif du roi aurait préféré qu'elle ignore son trouble. Dahlia ne voulait cependant pas regagner ses appartements sans avoir d'abord obligé son époux à lui parler. Elle devait donc attendre que Cipactli en ait terminé de ses confidences.

— Nous avons déjà abordé... le problème, père.

— Et je t'ai parlé de certains manuscrits où on trouve le compte-rendu d'unions...

— Non ! Je ne veux pas ! Quand je rencontrerai enfin quelqu'un... quelqu'un de ma race, alors peut-être aurai-je envie de pondre un œuf... viable. En attendant, je ne veux pas entendre vos théories. Vous dites : un prodige pourrait éclore... D'un autre type d'union ? Mais non.

Le silence plana, encore une fois, entre Deodato et Cipactli. À l'extérieur, une pluie fine se mit à tomber sur le palais et Dahlia grogna contre sa malchance. Elle se tassa davantage contre le mur, espérant que le vent ne se mettrait pas de la partie.

— Très bien, céda finalement le roi. Parlemoi de la reine. Qu'a-t-elle fait ?

— Ce n'est pas que... En fait, j'aime beaucoup sa compagnie, père. Et nous aurions pu devenir amis.

— Mais tu repenses aux deux autres filles. Regrettes-tu de les avoir tuées ?

Dans sa stupeur, Dahlia laissa échapper un souffle. Elle se plaqua une main sur la bouche pour s'empêcher de gémir. Elle avait ignoré les conseils de Canchetta et d'Ambra parce qu'elle jugeait Cipactli séduisant, malgré sa claudication et son regard inquiétant... Et voilà qu'il n'était en fait que l'assassin personnel du roi !

— Tu sais, pourtant, que leur mort était nécessaire. Elles représentaient un grand danger, malgré leur jeunesse.

— La reine aussi. Si l'on en croit la prophétie.

— C'est pourquoi je m'en tiens loin, mon fils ! Et tu ferais bien de te méfier d'elle, toi aussi. Je serais désolé qu'elle parvienne à te détourner de moi.

— Cela n'arrivera pas, père. Je ferai tout pour vous protéger. Toujours.

— J'en suis heureux. Quel dommage que tu ne sois pas mon véritable fils. Quel dommage que Lucio doive hériter de mon royaume à ta place...

— Mon père... Je dois vous avouer, au sujet de ces filles... Vous avez jugé, à mon retour, que j'ai été parti très longtemps. Mais c'est parce que... je ne les ai pas tuées.

Cipactli était plus hésitant que d'habitude ; Dahlia supposa qu'il s'attendait à ce que son père adoptif accueille sa désobéissance par une explosion de colère — comme le colonel Jionus n'aurait pas manqué de le faire. Mais Deodato était roi depuis vingt ans. Il avait acquis une grande maîtrise de lui. Son ton était cependant froid et tranchant comme la lame d'un poignard quand il exigea des explications.

À la stupeur de Dahlia, Cipactli éclata en sanglots lorsqu'il avoua ne pas avoir pu assassiner des inconnues. Il les avait épiées longuement, pourtant, cherchant dans son cœur le courage d'obéir à son père. Mais en vain. Alors il les avait capturées et les avait transportées par-delà le désert du Tamaris. Il les avait abandonnées toutes deux aux portes d'une citée fortifiée, sur une péninsule tropicale. C'était si loin du Techtamel, il s'était dit que pour la sécurité du roi, leur exil serait aussi efficace que la mort.

— Ne les aurais-tu pas laissées ensemble aux portes du Labyrinthe de la péninsule dil Cielo ?

— Pas ensemble, non...

Le silence, cette fois, avait quelque chose d'orageux. La pluie augmenta d'intensité et le vent la poussa aux pieds de Dahlia.

— Va-t'en, Cipactli. Tu me déçois énormément et j'ai besoin de réfléchir aux implications de tout ceci. Les dieux ont fait en sorte, à travers toi, qu'*elles* restent vivantes... Alors que je viens d'épouser Dahlia... Oui, laisse-moi seul, mon fils.

Une tête de serpent ornée de deux petites cornes passa sous les voiles de la porte et, plutôt que Cipactli, ce fut cet étrange animal qui se glissa hors des appartements du roi. Dahlia, muette de terreur à cette vue, se crispa contre le mur du palais, incapable de quitter le reptile des yeux. Mais le reptile ignorait sa présence. Il se dressa devant le parapet du balcon et s'y hissa, empruntant le même passage que la jeune fille. De chaque côté de son long corps vert, deux pattes griffues et rouges fendirent sa peau écailleuse. Le serpent devenu lézard s'agrippa à la pierre du palais et l'escalada en direction du sommet.

Dahlia osa se précipiter au bord du balcon pour lever les yeux vers le sommet de la pyramide ; la bête s'était volatilisée. D'ailleurs, rien ne prouvait que le serpent cornu, doué du pouvoir de métamorphose, n'avait pas tout

simplement été le produit de son imagination...
Mais à travers la pluie, la jeune fille crut voir
une silhouette serpenter dans le ciel au-dessus
de Zollan et disparaître dans les nuages... C'en
était trop pour elle. Reine du Techtamel ou
pas, Dahlia n'avait pas l'intention de rester
au palais un jour de plus, pas même pour
obtenir des réponses.

# 10

# DANTINO ET CAYETANO

*Osvaldo, Capucine et Tienko profitaient du timide soleil qui pointait à travers les nuages pour se promener dans les jardins. Avec le mois de l'Eau qui approchait, le temps était de plus en plus souvent couvert et il pleuvait un jour sur deux. La végétation en tirait profit et les jardins étaient plus verdoyants que jamais, mais les habitants du palais dil Senecalès regrettaient les chaudes semaines qu'ils avaient entièrement passées à l'extérieur... Osvaldo avait apporté sa guitare et chantait pour Capucine des airs mélancoliques tandis que la jeune fille cueillait des fleurs.*

*— Osvaldo, vieux poète décrépit ! Tu chantes pour ma fille alors qu'il reste encore beaucoup de choses à préparer !*

Le trio leva les yeux en direction du palais et vit Tadéo qui marchait vers eux d'un pas martial. Capucine se rembrunit ; elle ne savait jamais vraiment comment agir en présence de son père. Elle préférait de loin l'oncle Osvaldo, qui savait la faire rire.

— Alcestes jure qu'il aura ta tête si tu le laisses se débrouiller seul avec les chevaux, ajouta Tadéo avec un sourire complice en direction de son meilleur ami.

— Combien de jours estimez-vous que cette équipée prendra ? demanda Tienko.

Capucine jeta un regard lourd de reproches au demi-elfe. Son père ne parlait que de l'assassinat de son ancien ami, depuis deux jours ; inutile de le relancer si, pour une fois, il abordait plutôt le sujet des bagages et des montures !

— Quatre, si tout se passe bien et qu'Itztli Chillos se trouve là où nous le croyons, répondit Tadéo, redevenu sérieux. Contrairement aux cas de Canchetta et Novio, nous n'aurons pas besoin de faire preuve de beaucoup de précautions : Itztli n'est qu'un obscur colonel de l'armée. S'il aime toujours autant l'alcool, il sera facile à assassiner, par un soir de beuverie.

— Et vous le clouerez à un mur, la langue et les parties génitales tranchées, afin que chacun connaisse la raison de sa mort, termina Tienko.

*Le demi-elfe n'avait jamais eu à punir qui que ce soit de l'avoir trahi, cependant il connaissait le rituel. Et à leur retour du domaine Petite Paleta, les trois mercenaires ne s'étaient pas privés de raconter en détail comment le traître Novio avait péri. Tadéo l'avait cloué à l'une des granges du domaine, pour ne pas souiller les murs du manoir, et il était resté sur les lieux jusqu'au matin afin de voir les charognards s'attaquer à son cadavre... Capucine n'avait pu écouter leur récit jusqu'à la fin, ce soir-là. Elle s'était réfugiée dans sa chambre pour pleurer.*

*— Je ne peux dire que je vous envie, poursuivit Tienko, cependant il me tarde de faire enfin quelque chose. L'inaction me pèse !*

*— Toutes ces morts ! s'exclama Capucine, que la conversation commençait à indisposer. Je comprends, pour le roi. Ce qu'il nous a fait est... au-delà du pardon. Mais pour ce qui est des autres ? Ne s'agissait-il pas surtout... d'erreurs de jugement ?*

*L'ancien général parut sur le point d'exploser en entendant les paroles de sa fille. Tienko, qui était après tout lui aussi un mercenaire, se mit à rire et embrassa tendrement la main de sa bien-aimée. Il connaissait et appréciait la douceur de Capucine, cependant il était du même avis que le grand Tadéo : certaines trahisons ne devaient pas rester impunies. Le* demi-elfe essaya d'expliquer à sa bien-aimée en quoi le code de conduite des mercenaires différait de celui des gens ordinaires et pourquoi il était essentiel qu'il en soit ainsi... Mais la jeune fille ne lui adressa qu'un hochement de tête dubitatif. Même Tienko ne pouvait la convaincre du bien-fondé de certains griefs.

Tadéo secoua la tête et esquissa un demi-sourire. Il caressa la joue de Capucine — qui dut faire un effort pour ne pas broncher tant elle craignait son père.

— Tu es la seule à avoir hérité du tempérament de ta mère, soupira-t-il. Si elle était encore parmi nous, elle serait d'accord avec toi... Mais je ne suis pas comme vous. Moi, je pense que si nous pardonnions toujours tout, le monde s'effondrerait. Les pires crimes deviendraient des balivernes ! Crois-moi, ma fille : nous vivons dans un monde où même les erreurs de jugement doivent être punies.

Voyant la mine découragée de Capucine, il crut bon d'ajouter :

— J'ai ruminé ma colère pendant seize ans, Capucine. Amèrement, sans réel espoir de vengeance, jusqu'à ce qu'Osvaldo ramène Dahlia à notre campement secret... Maintenant que la vengeance se trouve à portée de main, ne me demande pas de revenir en arrière et d'essayer de pardonner quoi que ce soit.

*La jeune fille s'obligea à sourire et à pré-*
*tendre qu'elle comprenait, même si en réalité,*
*elle n'y arrivait pas. Elle avait su que la*
*conversation ne mènerait nulle part et que son*
*père ne changerait pas d'idée. En compagnie*
*d'Osvaldo et d'Alcestes, il quitterait ce soir*
*le palais dil Senecalès et se rendrait jusqu'à*
*Kallitlan, l'une des principales villes techtas,*
*en bordure de la frontière avec le Mahcutal.*
*C'était là que, selon Amaryllis, il dénicherait*
*le traître Itztli.*

*Osvaldo hocha la tête et annonça qu'il s'en*
*allait aux écuries donner un coup de main à Al-*
*cestes avant que celui-ci n'estropie un cheval...*
*Il blaguait, bien entendu. Il adressa un clin*
*d'œil complice à Capucine avant de partir et*
*la jeune fille sentit son cœur se serrer en le re-*
*gardant s'éloigner. Comment un homme aussi*
*charmant pouvait se transformer en assassin,*
*voilà qui restait un mystère pour elle.*

* * *

Il n'y avait pas de miroir dans la petite
maison qui jouxtait la boulangerie et Dahlia
soupira, son couteau bien affûté à la main.
Elle jeta un coup d'œil au boulanger, ligoté,
bâillonné et jeté en travers de son lit : les cheveux noirs du jeune homme lui descendaient
jusqu'au milieu des oreilles et il avait la nuque

rasée — comme la plupart des hommes à Zollan. C'était une coiffure que Dahlia jugeait fort laide. Les cheveux longs des guerriers, ramenés en queue de cheval, lui plaisaient davantage. Mais elle avait déjà tenté de fuguer coiffée de la sorte, or les soldats sous les ordres du colonel Jionus n'avaient pas tardé à la reconnaître sous ses vêtements masculins. Elle paraissait toujours trop jeune pour vraiment prétendre être un guerrier. La seule façon de passer pour un garçon était donc de couper ses longues boucles. Elle les trancha de son mieux avec le couteau. Puis elle rasa sa nuque tant bien que mal, revêtit le pantalon et le chemisier volés au boulanger... Même sans miroir, Dahlia se jugea parfaite : Dantino était né et il quitterait Zollan au petit matin pour se perdre dans la campagne du Techtamel. Plus jamais on n'entendrait parler de la reine Dahlia.

La jeune fille ramassa ses cheveux coupés, qu'elle brûla avec ses vêtements afin de dissimuler les traces de son passage dans la boulangerie. Le boulanger, évidemment, lui posait problème... Sa mémoire la ramena en arrière, à la dernière fugue qu'elle avait tentée. Elle avait promis au dieu Yolihuani le cœur de l'un de ses ennemis, tué de ses propres mains. Elle baissa les yeux sur le couteau dont elle venait de se servir, puis elle regarda le jeune homme sur le lit... Conscient de son dilemme, celui-ci se mit à gigoter en secouant la tête. Il marmonna des phrases rendues inintelligibles par le bâillon.

— Ne t'en fais pas, boulanger. Je pense que tu ne peux raisonnablement compter au nombre de mes ennemis. Je ne te prendrai que ton lit.

La jeune fille le poussa hors du lit et prit sa place au milieu des coussins. Elle dormit peu et mal, tourmentée par la crainte d'être débusquée par les soldats du palais.

\* \* \*

*Dès que l'héritier-machtli et le demi-elfe avaient accepté de participer à la vengeance des trois sœurs, Amaryllis avait jeté un sort d'Herbes au crâne de l'ogre de la Plaine Trouée. Enfant, c'était un des premiers sorts qu'elle avait su maîtriser : il permettait de garder plus longtemps la viande fraîche et exempte de vermine, à condition de l'entreposer dans l'obscurité la plus totale. Les chairs de la tête ne s'étaient donc pas putréfiées aussi vite qu'elles l'eussent dû... Tienko et Lucio avaient pu se permettre d'attendre avant d'aller la porter au roi, ce qui avait donné au grand Tadéo le temps de rejoindre ses filles dans le palais dil Senecalès.*

Néanmoins, après une douzaine de jours à faisander dans une chambre froide du palais, la tête de l'ogre était devenue horrible. Tout le monde se rendant bien compte qu'il serait impossible de retarder l'échéance plus longtemps, Tienko et Lucio durent donc se décider à se rendre au palais de Zollan. Capucine et Amaryllis auraient préféré qu'ils attendent encore un peu, cependant ils se mirent en route dès le lendemain du départ de Tadéo et de ses deux acolytes.

Tienko et Lucio en revinrent vers l'heure du midi. Si l'on en jugeait par leur air satisfait, les choses s'étaient fort bien déroulées. Les deux amis s'installèrent à l'ombre d'un magnifique abricotier et convièrent les triplées à les y rejoindre. Dûment escortées et chaperonnées par Felzia dil Senecalès, la mère de Lucio, les trois sœurs entourèrent les champions du jour, curieuses d'entendre ce qui s'était passé à Zollan.

— D'abord, mère, je vous transmets les salutations de votre frère. Le roi se demande pourquoi vous ne lui rendez pas visite plus souvent.

Capucine baissa brusquement les yeux. Elle jugeait très difficile de vivre sous le toit de Felzia dil Senecalès, alors même que ses sœurs et elle planifiaient l'assassinat de son frère...

— *Il a raison, soupira la mère de Lucio. Je ne quitte plus guère mon palais.*

— *Alors, c'est décidé : dès demain, vous irez passer quelques jours à Zollan ! conclut Lucio en souriant. Cela vous fera le plus grand bien !*

— *Mon frère sera peut-être d'un autre avis ! Il ne voulait qu'être poli avec vous, mon fils.*

*Néanmoins, Felzia sourit. Et Amaryllis sourit, elle aussi, en croisant le regard de Lucio. Elle hocha la tête, approuvant son initiative : à présent qu'il était en possession de la tête de l'ogre, le roi Deodato serait nerveux. Il pouvait réagir de bien des façons — y compris en soupçonnant son neveu de s'être allié aux triplées de la prophétie. C'était plutôt improbable, mais la jeune fille devait envisager cette possibilité. Après tout, le roi les avait fait jeter en pâture à l'ogre dont son neveu venait de lui apporter la tête ; il pouvait craindre que le monstre ne les ait pas tuées toutes les trois. Il pouvait imaginer que Tienko ou Lucio soit tombé sur l'une des trois sœurs en traquant l'ogre... Si les soupçons du roi empruntaient ce chemin tortueux, mieux valait en effet éloigner la charmante Felzia du palais dil Senecalès.*

*Dahlia le comprenait également très bien, de même que les raisons évidentes qui poussaient Lucio à cacher à sa mère ce qui se tramait dans* son palais. Cependant elle n'avait aucune patience pour les mondanités et elle ne possédait pas le talent de sa sœur pour dissimuler ses émotions. À présent que leur vengeance était bel et bien en marche, Dahlia maîtrisait mal sa fébrilité. Interrompant la conversation de Lucio et Felzia, la jeune fille réitéra son envie de connaître la réaction du roi Deodato devant la prouesse de son neveu. Amaryllis lui jeta un regard noir : elle n'appréciait pas les mauvaises manières de sa sœur. Dahlia eut au moins le bon sens de présenter ses excuses à Felzia, déguisant son impatience derrière l'admiration qu'elle vouait à l'héritier-machtli :

— Car enfin, vous lui avez apporté la tête de l'ogre de la Plaine Trouée ! C'est un exploit qui semblait impossible jusqu'ici... Le roi Deodato vous a-t-il récompensés séance tenante, comme promis ?

Tienko sourit et montra la bourse de cuir orangé qu'il rapportait du palais royal.

— Dix redondos et vingt-cinq tontos d'or... Je les ai comptés sur le chemin du retour !

Même Dahlia, pourtant familière des sommes exorbitantes que l'on offrait parfois aux mercenaires chasseurs de primes, ouvrit des yeux ronds. Avec autant de pièces d'or, on pouvait non seulement se procurer un cheval et de quoi le harnacher convenablement, mais en plus galoper jusqu'au centre du Techtamel et y acheter une terre assez vaste pour y élever tout un troupeau ! Elle sourit, néanmoins, quand Tienko ajouta à quel point le roi avait semblé réticent à payer la récompense promise. Il avait demandé à entendre le récit de l'expédition, s'était enthousiasmé pour l'efficace embuscade tendue à l'ogre... Le roi avait félicité son neveu pour son ingéniosité, même si le monstre était parvenu à échapper à l'héritier-machtli ; au bout du compte, c'était bien sûr au demi-elfe que le roi devait d'être débarrassé de l'ogre, mais Lucio avait tout de même réussi à le blesser mortellement.

— Mon oncle s'est également beaucoup intéressé à l'antre de l'ogre, poursuivit Lucio.

— Hélas pour lui, je n'avais pas beaucoup de détails à lui donner ! s'exclama Tienko. De nuit, avec l'excitation du combat... j'avoue ne pas avoir vraiment prêté attention aux corridors souterrains dans lesquels vivait l'ogre. Tout ce que j'ai pu lui dire, c'est que je l'ai trouvé affalé près d'un monticule de cadavres et d'ossements. Sans doute les restes de ses repas. C'était une vision écœurante !

Amaryllis hocha la tête, satisfaite. Elle imaginait le roi Deodato en proie aux affres du doute et de la peur... La logique voulait que les triplées se soient trouvées dans la pile, avec les *autres cadavres. Le roi n'avait aucune raison de croire que le demi-elfe, dont la renommée avait déjà fait le tour du Techtamel et du Mahcutal, lui mentait. Mais Deodato ne possédait aucune preuve de la mort de ses trois fleurs — selon Amaryllis, c'était là la principale faiblesse de la solution qu'il avait choisie pour se débarrasser d'elles. Il continuerait toujours de les craindre, d'autant plus à présent que d'inquiétants assassinats avaient lieu autour de lui...*

*Mais si Deodato avait manqué de jugement par le passé, cela ne faisait pas de lui un imbécile pour autant. La mort de Novio dil Bonfiliar, suivant de très près celle de l'aclla Canchetta, lui avait certainement mis la puce à l'oreille. Et si l'incendie du manoir de l'aclla avait pu paraître accidentel, en revanche Tadéo Balamqui avait fait en sorte que chacun connaisse la raison de l'assassinat de Novio ! Le roi suspectait très certainement que ces deux décès avaient un rapport avec la prophétie des trois fleurs — à sa place, Amaryllis aurait déjà deviné avoir affaire à Tadéo Balamqui.*

*— Tienko ! intervint Felzia avec une feinte sévérité. Je ne sais ce qui vous pousse à courir les dangers ainsi, mais j'aimerais que vous n'entraîniez pas mon fils avec vous.*

*— Mère, vous vous inquiétez trop ! Je cours au-devant des aventures pour me distraire,*

puisque le roi nous épargne une guerre contre le Siatek... Laissez-moi m'amuser un peu avant que les responsabilités ne m'accablent ! Il sera bien temps de m'assagir lorsque je me marierai...

— Alors, fassent les dieux que cela se produise bientôt, je n'en peux plus d'avoir pour fils le plus grand héros du royaume !

Lucio et Tienko rigolèrent, le premier sachant très bien que sa mère se moquait de lui. Felzia était fière de son fils, elle aimait entendre le récit de ses aventures et vantait son courage à qui voulait bien l'entendre.

— Parlant de héros, vous ne devinerez jamais qui nous avons croisé au palais.

Lucio ne quittait pas Amaryllis des yeux. Comme il l'espérait, sa phrase, mystérieuse à souhait, piqua la curiosité de la jeune fille. Elle le pria de ne pas les faire languir.

— Il s'agit de Cayetano Traserios.

— Le Défenseur lui-même ? s'étonna Dahlia avant qu'Amaryllis ne réagisse. Je croyais... La rumeur prétendait qu'il était mort à la bataille de Nepachonyôtl !

— On dirait bien que non.

— Dans ce cas, que faisait-il à Zollan ? Il était chargé de garder la frontière entre le Siatek et le Techtamel, n'est-ce pas ?

*Amaryllis ne connaissait pas l'armée aussi bien que sa sœur. Cependant elle avait écouté l'héritier-machtli avec attention lorsque celui-ci leur avait résumé la situation politique du royaume. L'histoire de ce général héroïque, au moins aussi populaire que le grand Tadéo en son temps, l'avait fortement impressionnée.*

*— À dire vrai, lui-même paraissait se demander ce qu'il faisait au palais, pouffa Tienko.*

*Le demi-elfe expliqua comment, alors que son ami et lui avançaient dans les corridors du palais, ils avaient entendu les cris et les insultes caractéristiques d'une violente dispute. Ne songeant pas un instant aux gardes compétents qui protégeaient le roi et n'écoutant que leur courage, les deux amis avaient fait une entrée fracassante dans la pièce où Cayetano et Deodato se querellaient. Juste à temps pour voir le roi gifler le Défenseur comme un jeune galopin. Tienko et Lucio en étaient restés sans voix. Mais le plus ulcéré par cet outrage avait bien entendu été le célèbre général. Et si l'on en jugeait par le regard, lourd de menaces et de ressentiment, qu'il avait jeté au roi avant de tourner les talons, celui-ci pouvait dores et déjà se chercher un nouveau général pour garder sa frontière.*

— Mais enfin, quel était le sujet de cette querelle ?

— Je l'ignore, ma r... demoiselle Nalia.

Capucine ouvrit des yeux ronds de terreur et dévisagea tour à tour le demi-elfe qui avait failli trahir leur secret, l'héritier-machtli, Amaryllis et Felzia dil Senecalès. Elle se tordit les mains, l'anxiété lui brouillant les idées. Une fois de plus, elle songea qu'elle n'était pas faite pour ces situations de conflits et de secrets. Tout ce qu'elle souhaitait, depuis son départ du Labyrinthe, c'était retrouver ses chères et paisibles montagnes ! Mais depuis un an, nul ne paraissait se soucier de ce qu'elle souhaitait. Pour changer de sujet et dissimuler la bévue de Tienko, elle opta pour la première question qui lui traversa l'esprit :

— Et ce général, à quoi ressemble-t-il ?

— Oh, il ressemble un peu au roi Deodato, je dirais.

Voilà qui n'était pas pour rassurer Capucine.

— Et un peu, aussi, à l'ancien général Tadéo Balamqui, ajouta Lucio après un instant de réflexion. Mais à côté de Cayetano Traserios, le grand Tadéo aurait eu l'air d'une douce brebis !

Capucine ne put s'empêcher de gémir à mi-voix. Tout à coup, ses montagnes lui paraissaient plus éloignées que jamais ! Car elle devinait sans mal quelles pensées s'agitaient sous le crâne de son astromancienne de sœur. Et les détails que Dahlia s'enthousiasmait à leur rappeler, à propos de la cruauté notoire du Défenseur contre leurs ennemis siates, n'amélioraient en rien les choses : même la mère de Lucio frissonnait à ce récit épouvantable, mais Amaryllis, elle, souriait d'un air comblé ! Sans l'ombre d'un doute, elle se remémorait les termes de la prophétie : « trois des plus grands héros du royaume se dresseront contre leur roi ».

— Un autre grand héros, murmura Amaryllis, exactement comme Capucine s'y était attendue.

— Un troisième héros de sang techta, renchérit calmement l'héritier-machtli.

— C'est fascinant. J'aimerais bien rencontrer le Défenseur...

Capucine, quant à elle, s'en serait volontiers passée. Surtout s'il était pire que son terrible père ! Mais en cela comme en tout le reste, la jeune fille n'entretenait guère d'espoir que ses vœux soient exaucés. Lucio se tourna vers Dahlia et celle-ci leva les yeux lorsqu'elle prit conscience de son regard posé sur elle.

— Vous avez grandi près de la frontière, Nalia. Avez-vous eu l'honneur de rencontrer le Défenseur ?

*Dahlia faillit répondre qu'elle aurait bien aimé, mais que son père adoptif ne l'avait jamais permis. Elle se contenta d'un « non » laconique et laissa ses pensées la ramener un an en arrière. Sa route avait bel et bien croisé celle du Défenseur...*

# 11

# NEPACHONYÔTL

Le jeune « Dantino » n'avait éprouvé aucune difficulté à se joindre aux soldats qui quittaient Zollan pour marcher en direction de la frontière orientale ; il paraissait en âge de s'enrôler, même s'il n'avait pas suivi les procédures adéquates. Dahlia, sous son déguisement de garçon, savait fort bien que si un officier supérieur apprenait la manière cavalière dont on l'avait acceptée dans les rangs de l'armée, le vieux capitaine qui en avait pris la responsabilité serait châtié. Mais elle n'avait pas l'intention de rester dans l'armée assez longtemps pour que son chemin croise celui d'un officier supérieur. Cela lui avait seulement paru le meilleur moyen d'échapper aux recherches du roi : jamais on ne soupçonnerait que la reine en fuite se cachait au sein même de ceux qui devaient la traquer...

Au début, elle ne se mêla pas aux autres soldats, de crainte d'être démasquée. Elle se limita à écouter leurs conversations, essayant de deviner leur destination exacte. Mais assez vite, elle se rendit compte que seul le capitaine devait être au courant : les soldats se contentaient de marcher à la queue leu leu. En début de journée, les hommes parlaient un peu en marchant. La discipline n'était pas trop sévère, dans cette compagnie. Le soir, fatigués, ils avançaient tous en silence. Lors des pauses, les langues se déliaient cependant très vite. Ce fut ainsi que Dahlia apprit ce que son époux pensait de sa fuite : les soldats avaient reçu la consigne de garder la nouvelle secrète, mais chacun savait que la reine avait été enlevée.

— Enlevée ! ne put-elle s'empêcher de soupirer quand elle entendit les soldats en discuter pour la première fois.

— Ouais ! C'est sûrement les Siates ! Quand nous étions encore à Zollan, j'ai entendu un officier supérieur recommander au capitaine d'ouvrir l'œil pendant le voyage.

— Le roi compte sur nous pour retrouver la reine, que j'ai entendu dire, moi.

Dahlia avait secoué la tête, incrédule. L'aclla n'avait sans doute pas révélé au roi que son épouse avait eu l'habitude de fuguer, autrement il n'aurait pas cru qu'elle avait été enlevée ! La jeune fille ne pouvait croire à sa chance : jamais les soldats de sa compagnie ne soupçonneraient son identité si un jour ils venaient à découvrir qu'elle n'était pas un garçon ! Dès lors, Dahlia fut moins nerveuse et apprécia davantage le voyage. Il y avait si longtemps qu'elle souhaitait explorer le royaume ! Évidemment, elle eût préféré que cela ne se fasse pas à pied : les kilomètres passaient si lentement. Après toute une journée à avancer au rythme de la compagnie, il lui semblait invariablement que le paysage n'avait pas changé d'un iota !

Après deux jours complets de marche, le paysage lui indifféra totalement. Les abords de la capitale étaient pourtant charmants, avec leurs pâturages carrés aux clôtures bien entretenues. La vie semblait facile, si près de la mer Séverine, et les belles routes menant à Zollan étaient envahies par un incessant va-et-vient de charrettes. Tellement de gens empruntaient les routes qu'il s'y produisait régulièrement des embouteillages. Ceux qui allaient à pied pouvaient certes couper à travers champs. Les paysans occupés à labourer leur jetaient des regards noirs, mais c'était une tout autre chose quand un cavalier se risquait à piétiner les cultures — ou, pire, toute une compagnie militaire ! Dahlia entendit sur les routes de Zollan des insultes qui auraient fait rougir les soldats de Fort-Tecallican...

Les maisonnettes bâties au milieu des champs avaient toutes, pour la plupart, des murs de pierre et des toits de tuiles. Ici et là, on apercevait un moulin, un puits couvert ou les auvents d'un marché rural. Il ne paraissait pas y avoir un mètre carré de terrain qui ne serve à quelque chose. Admirant le paysage, Dahlia s'était souvenue des paroles de son père adoptif : il répétait sans cesse que des millions de personnes comptaient sur les soldats de la sierra Gula pour garantir l'étanchéité de leur frontière. La jeune fille avait souvent pensé que le colonel Jionus exagérait. Mais si le Techtamel était partout aussi riche et coloré que les abords de la capitale, elle devait admettre qu'en effet, il était possible que des millions de personnes habitent un royaume si prospère. Malgré cela, elle fut comblée lorsque, quatre jours plus tard, la compagnie parvint en bordure de la sierra Gula.

Seule Dahlia parut heureuse d'arriver enfin au village de Nepachonyôtl. Ce n'était qu'une bourgade d'une vingtaine de maisons, bordées du côté du soleil levant par de vastes ruines. Il y avait autrefois eu des bâtisses à l'endroit où passait maintenant la frontière, mais il n'en restait que des vestiges, des fragments de murs qui ne s'élevaient qu'à un mètre du sol et que la poussière de la sierra Gula tentait d'ensevelir. La compagnie arriva en vue de Nepachonyôtl en fin de journée et la jeune fille sourit d'aise, y reconnaissant tout ce qu'elle aimait de la sierra. Ici, la végétation poussait à la diable en un jardin épineux. La région n'avait rien de doux et, lorsque l'on observait le paysage, les métaphores qui venaient spontanément à l'esprit provenaient toutes d'une armurerie : barbelées et acérées, les plantes de la sierra Gula se dressaient comme autant de lances, d'épées ou de poignards. Les pierres, d'une multitude de formes géométriques, ressemblaient aux fragments épars d'une tour de garde déchiquetée.

Dahlia se délesta de son paquetage et examina les abords du village, se demandant où il conviendrait de monter la tente du capitaine. Elle constata vite qu'elle était la seule à apprécier la chaleur sèche de la région. Les autres soldats avaient trouvé la journée épuisante et certains souffraient de vilains coups de soleil. Quant aux deux autres recrues, avec qui elle avait l'habitude de monter le camp, ils semblaient dans un état au-delà de l'hébétude.

— Tous à la rivière ! annonça le capitaine quand chacun se fut délesté de ses bagages. Nous mangerons après le bain.

En règle générale, Dahlia s'arrangeait pour être toujours occupée à une tâche pressante quand l'heure du bain sonnait. Elle faisait ses ablutions seule, à la noirceur, ce qui lui valait quelques moqueries de la part de ses compagnons et l'obligeait à se coucher plus tard qu'eux. Toutefois, la jeune fille savait que son personnage de garçon n'aurait pas tenu une minute face aux soldats qui se baignaient nus...

— À l'eau, toi aussi, Dantino ! la gronda le capitaine quand elle fit mine de commencer à monter sa tente. Le général Cayetano est en retard au rendez-vous, profitons-en ! Je ne veux personne sur le dos à cause d'un coup de chaleur.

— Le général Cayetano... C'est-à-dire le Défenseur ? s'étonna Dahlia. Nous devons le rencontrer ici ?

Le capitaine sourit de la surprise de sa recrue. Il savait quelle réputation avait le général Cayetano et quelles histoires circulaient sur son compte parmi les soldats. Tout le monde vantait les exploits du Défenseur ! Mais ce que Dahlia savait surtout, c'était que même si son père adoptif ne sortait plus guère du fort, il préférait toujours rencontrer le Défenseur loin de Fort-Tecallican afin de recevoir ses ordres...

— À la rivière, Dantino, répéta le capitaine.

Cette fois, Dahlia ne pourrait s'esquiver... Néanmoins, la chance voulut que la plupart des hommes se baignent habillés tant étaient grandes leur fatigue et leur hâte de se rafraîchir. La jeune fille les imita. La rivière coulait au fond d'un canyon large et peu profond, en contrebas de Nepachonyôtl. La jeune fille prit à peine le temps d'enlever ses chaussures avant d'entrer dans le courant. Celui-ci n'était pas très puissant, il était possible d'avancer jusqu'au milieu de la rivière sans avoir à lutter pour garder l'équilibre. De toute façon, le niveau des eaux était bas et des bancs de cailloux fendaient le cours de la rivière, ménageant des îlots où il était possible de s'étendre après la baignade...

Malgré le bonheur de cet instant de repos, Dahlia s'obligea à se lever et à retraverser le cours d'eau. Si elle restait étendue trop longtemps, elle risquait de s'endormir au milieu des cailloux ! Et il y avait encore la tente du capitaine à monter et de l'eau à puiser... La jeune fille ne fut pas la seule à se montrer raisonnable : deux autres soldats sortirent du canyon en même temps qu'elle. Le capitaine lui-même ne s'était que brièvement immergé dans la rivière avant de revenir au village ;

Dahlia put le voir arpenter les anciennes ruines, scrutant l'horizon. Elle repéra le sac qui contenait la toile de la tente et s'apprêtait à se mettre au travail quand elle surprit les paroles que le capitaine marmonnait :

— Et Cayetano qui est en retard en plus ! Mais où est tout le monde ?

La jeune fille haussa les sourcils et se tourna vers les maisonnettes de Nepachonyôtl. Cela ne l'avait pas frappée à l'arrivée, mais personne n'était venu à leur rencontre lorsque la compagnie s'était arrêtée en bordure des ruines. Et à présent, elle ne voyait toujours aucun villageois près des habitations, ni même à l'intérieur... Nepachonyôtl était désert. Mais avant que Dahlia ne s'interroge sur cette bizarrerie, des trompettes résonnèrent dans la sierra Gula.

La jeune fille connaissait ce signal : à Fort-Tecallican, on le sonnait régulièrement. C'était un signal d'alarme. Elle supposa que les hommes, en bas dans le canyon, l'entendraient aussi et reviendraient au campement au pas de course. En attendant, elle se trouvait seule avec deux soldats et un capitaine pour défendre le village désert de Nepachonyôtl.

— C'est le général ! hurla le capitaine. Il est poursuivi !

Les deux soldats s'armèrent d'un mousquet chacun, en plus du coutelas qui pendait à leur ceinture, et rejoignirent leur supérieur près des ruines. Celui-ci ordonna à l'un d'eux de retourner à la rivière :

— J'ai peur que le bruit de l'eau, réverbéré sur le roc, empêche les hommes en bas d'entendre les trompettes. Cours vite !

Le soldat ne se le fit pas dire deux fois : il détala comme un lapin. Dahlia se réfugia elle aussi dans l'ombre du mur en ruine. Quand le capitaine se tourna vers elle et lui demanda pourquoi elle n'avait pas de mousquet, elle dut avouer qu'elle ne savait pas tirer. Le capitaine parut mécontent ; il avait choisi son messager pour qu'il aille vite, préférant un homme musclé à un jeune garçon, mais il s'en mordait maintenant les doigts... Il s'empara d'une arme et ordonna à Dantino de trouver les plombs et la poudre dans les bagages de la compagnie.

Le cheval de Cayetano Traserios sauta par-dessus les ruines du mur et aurait sans doute poursuivi sa course jusqu'au canyon si le général ne l'avait obligé à s'arrêter en tirant violemment sur ses guides. Malgré la poigne ferme de l'homme, l'animal se cabrait, essayant d'échapper à son cavalier. Dahlia comprit vite l'affolement du cheval quand elle vit la longue zébrure sur son encolure. Le général empoigna le mousquet qui émergeait de l'une de ses sacoches et avisa la recrue qui le contemplait, les yeux écarquillés :

— Toi ! Attache ce cheval solidement !

Deux autres cavaliers sautèrent par-dessus le mur et confièrent à leur tour leur monture à Dahlia. Les bêtes ruaient les unes contre les autres et tentaient de se mordre, si bien que la jeune fille doutait de s'en tirer indemne elle-même... Les trois cavaliers s'empressèrent aux côtés du capitaine et, avec lui, ils tirèrent sur leurs poursuivants en un feu soutenu.

— Dantino, les plombs !

Dahlia n'était pas certaine que les chevaux fussent bien attachés, elle espérait seulement que les nœuds tiendraient jusqu'à la fin de la bataille. Il était plus important de fournir les tireurs en munitions. Les deux poches en main — celle de poudre et celle de plombs —, elle courut jusqu'au mur...

Elle lâcha les poches et s'effondra au sol en hurlant, la main pressée contre son épaule. Une balle venait de l'atteindre. Une flamme vive brilla à quelques centimètres de sa tête : un mousquet venait de faire long feu. Le soldat se mit à jurer et entreprit de recharger son arme. Le capitaine ne jeta qu'un coup d'œil à Dahlia, le temps de vérifier la gravité de sa blessure. Le sang coulait entre les doigts de la jeune fille et celle-ci se mordait les lèvres pour ne pas pleurer. Rien ne se passait comme elle l'avait escompté. Elle ne pouvait que se blâmer elle-même. Elle endura la douleur en silence, priant tous les dieux que le reste de la compagnie arrive bientôt pour leur prêter main-forte.

La compagnie arriva trop tard sur les lieux de la bataille. Les soldats qui défendaient le mur en ruine périrent les uns après les autres, très rapidement. Le dernier fut touché par une balle en plein front et s'écroula sans un mot sur Dahlia. Les yeux exorbités de terreur, celle-ci repoussa le cadavre.

— Le mousquet ! cria Cayetano.

Dahlia ne savait pas se servir d'un mousquet, mais ce n'était pas le temps de l'expliquer au Défenseur. Elle en connaissait chacune des parties et pouvait les nettoyer aussi bien que n'importe quel soldat de Fort-Tecallican, cependant elle ignorait quelle quantité de poudre verser dans le canon et doutait d'être capable de retenir l'arme au moment du coup de feu... Son épaule blessée lui enlevait tout désir d'apprendre.

C'était inutile, de toute façon : les poursuivants du général avaient l'avantage du nombre. Ils n'avaient cessé de s'approcher du mur en ruine malgré les tirs irréguliers qui leur étaient opposés. Il ne leur fallut pas plus de quinze minutes pour le franchir. Dahlia vit les chevaux bondir au-dessus de sa tête et des cavaliers vêtus de beige sautèrent à bas de leurs montures. Ils se jetèrent sur le Défenseur.

La jeune fille eut le réflexe de brandir son coutelas — elle ouvrit la cuisse du premier homme qui passa à sa portée. Lui aussi s'effondra sur elle, cependant au contraire du soldat, il beugla comme un veau et la rossa de coups de poing. Dahlia comprit que si elle ne frappait pas une deuxième fois, l'homme la tuerait. Elle récupéra sa lame et embrocha son ennemi. Il mit beaucoup de temps à mourir : il chercha à lui échapper en rampant, l'arme toujours plantée dans l'abdomen, gueulant toujours sa douleur tandis que son sang se déversait à flots sur la jeune fille...

Tournant la tête pour chercher de l'aide, elle aperçut son capitaine et le général Cayetano gisant au sol, inconscients. Elle nota aussi que sa compagnie arrivait à la hâte et se jetait sur les bagages afin de prendre les mousquets. Elle eut le temps de songer à la promesse faite à Yolihuani et de se demander si les soldats la laisseraient prendre le cœur de l'homme qu'elle venait de tuer afin de le sacrifier au dieu pourvoyeur. Elle entendit un coup de feu, juste derrière elle, puis le monde entier éclata et elle plongea dans une noirceur totale.

# 12

# LES MERCENAIRES

Quand Dahlia rouvrit les yeux, on se battait encore autour d'elle. Elle porta la main à son crâne douloureux — la souffrance à son bras lui fit monter les larmes aux yeux. Le village de Nepachonyôtl lui revint en mémoire, avec le général Cayetano... Le paysage avait considérablement changé. Lorsqu'elle jeta un coup d'œil vers le ciel, elle eut l'impression que le temps avait coulé à l'envers. L'attaque de Nepachonyôtl était survenue à la fin du jour, alors que le soleil effleurait l'horizon ; maintenant, le soleil baignait toujours la sierra Gula de teintes cuivrées, cependant il était remonté dans le ciel... Un instant, l'esprit confus de Dahlia envisagea la possibilité que les dieux lui aient offert une chance de recommencer, de prouver son courage aux côtés de son capitaine et du Défenseur. L'énorme bosse qui coiffait sa tête et la balle de mousquet logée dans son épaule la convainquirent qu'elle n'était pas revenue en arrière, que c'étaient seulement les événements qui se répétaient...

D'ailleurs, le village de Nepachonyôtl avait disparu : aussi loin que portait le regard, il n'y avait plus que les longs cactus de la sierra Gula pour couper l'horizontalité du paysage. La jeune fille tourna doucement la tête dans la direction des cris pour voir qui se battait à présent. Elle distingua trois hommes, enlacés comme pour une danse sensuelle. Ils roulèrent brutalement au sol et Dahlia reconnut le général Cayetano. Il était aux prises avec deux des cavaliers vêtus de beige qui les avaient attaqués à Nepachonyôtl. En les observant de loin, la jeune fille comprit à qui elle avait affaire : des mercenaires. Elle fit un effort pour se souvenir de ce que son père adoptif racontait des mercenaires chasseurs de primes qui sévissaient jusque dans la sierra Gula, du côté du Techtamel autant que du Siatek.

La plupart étaient des hors-la-loi ayant fui la justice de leur royaume. L'immense désert du Tamaris représentait pour eux un havre sûr. Leurs rangs étaient également composés de déserteurs, les anciens soldats ayant de meilleures chances de survie dans ces territoires peuplés de barbares et de bêtes sauvages. Le désert du Tamaris était en grande partie composé de roc et d'étendues sablonneuses où pratiquement rien ne poussait ; c'était merveille que des hommes parviennent à y survivre. Il était donc clair pour Dahlia qu'elle n'avait aucune clémence à attendre de ceux qui avaient choisi l'impitoyable vie des mercenaires.

Le général Cayetano semblait avoir été leur proie et s'il n'était pas mort, c'était sans doute que quelqu'un avait offert une prime pour qu'on le lui ramène vivant. Pour les mercenaires, seul l'or possédait un quelconque intérêt. Apercevant le capitaine de sa compagnie — à plat ventre et le nez dans la poussière, les jambes et les poings ligotés —, elle se demanda pourquoi ils avaient jugé bon de s'encombrer en plus de lui et d'un soldat blessé. Peut-être à cause de sa blessure, la jeune fille n'était que sommairement attachée : une corde, nouée autour de sa taille la reliait à un opuntia bien piquant, mais ses mains n'étaient pas entravées.

Il y eut un coup de feu, auquel des hennissements de chevaux répondirent, et Dahlia vit un homme s'approcher à grands pas des combattants. Le crâne chauve, de longues moustaches lui descendant de chaque côté du menton et le teint café au lait — bien plus pâle que la plupart des habitants de la sierra Gula —, ce mercenaire avait une prestance intimidante. Il ne prononça qu'une dizaine de mots, dans un dialecte que la jeune fille ne connaissait pas, et le combat cessa. Mais pas longtemps. Les deux mercenaires qui avaient été aux prises avec le Défenseur n'eurent que le temps de se remettre debout avant que celui-ci n'agrippe l'un d'eux par le mollet, le précipite au sol et lui abatte son poing dans la figure. Dahlia grimaça. Elle comprenait pourquoi le colonel Jionus préférait garder Cayetano Traserios loin de Fort-Tecallican : il y avait en lui toute la violence d'un fauve, une violence pareille à celle des hommes qu'il devait combattre...

Un quatrième mercenaire intervint dans la bagarre, armé d'un mousquet. Tenant son arme par le canon, il asséna un coup de crosse en plein front à Cayetano Traserios, puis un autre dans les côtes et enfin, il l'atteignit derrière la tête. Il fallut que l'homme aux longues moustaches fasse preuve de davantage de violence pour mettre fin à ce combat : il hurla un ordre et frappa le mercenaire au mousquet, lui arracha son arme et le projeta dans la poussière, lui écrasant le ventre sous sa botte. Il lui appuya le canon du mousquet sur le cou, là où battait furieusement sa carotide.

— Prie pour qu'il soit encore vivant, gronda-t-il. Autrement, tu m'auras fait perdre un redondo d'or !

Il fit signe à l'un de ses hommes, debout à l'écart de la bataille, d'aller vérifier l'état du Défenseur. Le mercenaire se pencha précautionneusement sur le corps du général — chaque centimètre de sa peau basanée paraissait ensanglanté. Il porta les doigts à son cou, puis il se baissa davantage et approcha sa joue du nez de Cayetano Traserios, cherchant à ressentir un souffle de vie... Dahlia devina ce qui allait suivre. Elle saisit la corde qui lui liait la taille ; le nœud se trouvait dans son dos, impossible de le dénouer. Elle roula jusqu'au cactus malgré l'explosion de douleur dans son épaule.

— Je pense qu'il est mort, annonça le mercenaire.

Le chef aux moustaches ne fit aucun commentaire. Un deuxième coup de feu retentit.

Dahlia se démena contre le nœud lâche qui la retenait à l'opuntia, sans se préoccuper des épines qui se fichaient dans sa peau. Elle savait que celles-là n'étaient pas empoisonnées. Il lui faudrait sans doute une semaine pour s'en débarrasser... Elle parvint à se libérer un court moment avant que les mercenaires ne s'intéressent de nouveau à elle. La jeune fille prit ses jambes à son cou et fonça dans une direction choisie au hasard, n'espérant pas réellement s'échapper, mais incapable de rester immobile à attendre qu'ils l'abattent pour le plaisir...

Le soleil cuivré était devenu un soleil doré : il se levait. Dahlia n'aurait pas pu se rendre bien loin, à découvert et en plein jour. Avec sa blessure, en plus... Les mercenaires ne se donnèrent même pas l'ennui de courir derrière elle. Ils tirèrent dans sa direction et les balles de mousquet ricochèrent sur la pierre, autour de ses pieds. La jeune fille stoppa, au bord des larmes, et attendit qu'on vienne la récupérer. Mais quand un homme la jeta par-dessus son épaule pour la ramener aux chevaux, Dahlia comprit qu'elle serait transportée comme un ballot. Elle se débattit, glissa de l'épaule du mercenaire et tomba par terre tête première. Cette fois elle ne put retenir ses larmes. À moitié assommée, elle eut conscience qu'on déchirait l'avant de sa chemise, révélant le bandeau de tissu avec lequel elle compressait sa poitrine depuis des jours.

— Foutu étron des dieux ! jura le chef moustachu. C'est une fille ! Une autre rançon qui fout le camp ! J'ai jamais vu une expédition aussi minable...

— Dis donc, Cactus... On pourrait la vendre comme esclave ?

Dahlia nota le regard acerbe que jetait le chef des mercenaires à celui qui venait d'émettre cette suggestion. Son cœur rata un battement.

— Qui voudra d'une femme aux cheveux courts et couverte de plaies, même à Izel ?

— Elle est peut-être pas bonne pour les Siates, répondit le mercenaire. Mais dans le désert, les hommes sont pas trop regardants...

L'homme ne semblait pas commode. La peau foncée, le nez comme un bec d'aigle et les traits tout en angles vifs, il était assez évident que ce mercenaire était un autochtone du Techtamel. Et si l'on en jugeait par son expression rébarbative, il ne devait pas sourire souvent.

— Elle ne nous rapportera quasiment rien, réfléchit le chef moustachu. Mais tu as raison : quelques piécettes, de quoi payer une partie de cette ridicule équipée, pour que nous ne soyons pas à perte... Et la rançon du gradé, là-bas, nous vaudra un petit butin. C'est mieux que rien.

Les hommes délièrent les jambes de Dahlia afin qu'elle tienne assise sur un cheval, derrière un mercenaire. Le capitaine, quant à lui, ne semblait toujours pas avoir repris connaissance, aussi fut-il attaché sur la croupe d'un cheval de bât. Le chef moustachu ordonna qu'on abandonne le cadavre du Défenseur aux charognards.

— Nous commençons par le Tamaris ! cria-t-il avant d'éperonner son étalon.

Cette nouvelle fut saluée par des cris enthousiastes et les mercenaires lancèrent leurs montures au petit galop, les uns derrière les autres. Ballottée contre le dos d'un homme qu'elle ne connaissait pas, tout son corps si douloureux qu'elle en aurait hurlé, la jeune reine du Techtamel se laissa emporter vers le sud, vers sa nouvelle destinée d'esclave. Dahlia songea à l'homme qu'elle avait tué, à Nepachonyôtl. Elle se demanda si elle aurait pu échapper à l'esclavage si elle avait eu le temps de brûler son cœur en offrande à Yolihuani-le-Pourvoyeur... Un instant, elle envisagea de révéler sa véritable identité, en échange d'un meilleur traitement. Les mercenaires voulaient de l'or — la jeune fille était persuadée que le roi paierait une fortune pour récupérer son épouse.

« Pas tout de suite ! »

Les choses se présentaient mal, mais le désert du Tamaris se trouvait encore loin. D'ici là, la jeune fille réussirait peut-être à échapper à son sort sans pour cela avoir besoin de retourner à Zollan. Elle en avait marre qu'on la ramène toujours à son point de départ, toujours prisonnière d'un homme qui croyait pouvoir décider de sa vie à sa place... Elle attendrait le dernier moment avant de s'avouer vaincue.

« Je ferai tout en mon pouvoir pour ne pas en arriver là. »

Néanmoins, elle n'était pas sotte au point de préférer l'esclavage du désert à la cage dorée d'un palais techta. Chevauchant sous un soleil de plomb entre les canyons de la sierra Gula, elle se creusa furieusement les méninges afin d'imaginer un plan d'évasion. Elle était parvenue à échapper — même brièvement — au Fort-Tecallican par trois fois et au palais du roi Deodato. La reine rebelle parviendrait sûrement à fausser compagnie à de bêtes mercenaires...

* * *

*Dahlia se réveilla brusquement et s'assit dans son lit. Ses rêves l'avaient emportée dans la sierra Gula et lui avaient rappelé sa courte vie d'esclave... Elle savait maintenant qui était Alcestes Huaxin : il avait fait partie du groupe de mercenaires de Cactus. Et à en juger par la manière dont le chef moustachu tenait compte de ses suggestions, il devait même être son bras droit. Ça n'était donc pas un hasard si son accent lui avait paru familier !*

*La jeune fille sortit de son lit et se mit à faire les cent pas dans la chambre qu'elle partageait avec ses sœurs. Les mercenaires de la sierra Gula ne portaient pas ceux du désert du Tamaris dans leur cœur et, si ses souvenirs étaient exacts, ils n'avaient éprouvé à l'époque aucune envie de se joindre aux troupes du grand Tadéo. Il était donc plutôt étonnant que l'un d'eux ait changé d'idée en un an...*

*— C'est un traître, souffla Dahlia, le cœur étreint par l'inquiétude.*

*Et son père se trouvait à présent trop loin pour qu'elle lui envoie un message d'alerte.*

\* \* \*

Le voyage à travers la sierra Gula fut, assez paradoxalement, aussi éprouvant que fascinant pour Dahlia. Nul ne se préoccupait de son confort, ce qui était nouveau pour elle : même sous son déguisement de garçon, dans la compagnie militaire, on l'avait bien traitée. Elle avait dû s'acquitter de plus de corvées qu'elle n'en avait eu l'habitude à Fort-Tecallican, cependant les autres soldats lui donnaient un coup de main lorsqu'ils constataient sa fatigue. Les mercenaires ne lui témoignaient pas ce genre de gentillesse.

Certes, lorsqu'il avait remarqué qu'une balle de mousquet s'était logée dans son épaule, le soigneur du groupe s'était chargé de l'en débarrasser. Mais l'homme n'était pas sorcier — et d'ailleurs, ses techniques rappelaient beaucoup celles d'un boucher... Pour neutraliser la douleur, il s'était contenté de saouler la blessée, attendant à peine que l'alcool lui brouille les idées avant de lui plonger ses pinces dans la chair ! Le canyon où s'était déroulée l'opération résonnait sans doute encore des cris de la jeune fille ! Malgré cette blessure récente et malgré les épines d'opuntia fichées dans ses paumes, lorsque la chevauchée stoppait, Cactus s'attendait à ce qu'elle fasse un feu, qu'elle aille puiser de l'eau et concocte un semblant de repas avec les provisions séchées... Alors que Dahlia ne souhaitait que se coucher dans la poussière et dormir tout son saoul !

Heureusement pour elle, les mercenaires refusaient qu'elle panse leurs montures ; peut-être ne lui faisaient-ils pas confiance, peut-être avaient-ils peur qu'elle n'essaie de s'enfuir... Elle ne leur avait pourtant donné aucune raison de le craindre, jusqu'ici. Elle avait conscience de se trouver au Siatek : les montagnes qui lui apparaissaient comme des mamelons flous, alors qu'elle vivait à Fort-Tecallican, se dressaient maintenant à sa gauche, hautes et majestueuses. Et si elle songeait régulièrement à révéler sa véritable identité à Cactus, elle savait qu'il était préférable que cela ne se produise pas au Siatek. Le roi ne lui pardonnerait pas d'avoir été se jeter dans les bras de ses ennemis, leur donnant des armes contre lui. Dahlia en était donc réduite à prendre son mal en patience et à attendre qu'ils parviennent enfin dans le désert du Tamaris.

Entre-temps, cette équipée inattendue lui fournissait l'occasion d'explorer davantage la sierra Gula. Plus au nord, à l'entrée de la sierra, elle s'était rendu compte que les canyons étaient peu profonds. Bien moins qu'aux abords de Fort-Tecallican, en tout cas. Cependant la végétation y était plus variée, sans doute parce que plus de cours d'eau se rejoignaient là-bas pour se jeter dans la mer Séverine. Il y avait maintenant sept jours qu'elle avait quitté Zollan ; à en juger par le paysage rocailleux, allant du beige orangé au gris presque noir, la jeune fille estimait qu'elle devait se trouver environ à la même latitude que le fort où elle avait grandi. Si loin de la mer, les cyprès et les saules laissaient la place aux cactus et aux pierres. Mais aux abords des canyons, des mesquites et des acacias poussaient en grand nombre, profitant des rivières et des fleuves qui creusaient leur chemin à travers la sierra Gula et ne s'asséchaient jamais complètement... Les mercenaires suivaient les méandres de l'une de ces rivières impétueuses. Dans les environs, la sierra s'aplatissait considérablement et il était possible de voir plusieurs kilomètres en avant, ce qui en faisait un trajet plutôt sûr. Ils chevauchaient donc les uns derrière les autres, suivant le tracé du canyon sans jamais descendre au fond ; des pistes, trop étroites pour les chevaux, serpentaient sur toute la longueur des falaises abruptes et menaient à la rivière, mais il aurait fallu être fou pour s'y risquer.

Dahlia commençait à peine à s'habituer à la routine des mercenaires quand Cactus vint la trouver pour lui parler, lui qui l'ignorait depuis sa capture. La jeune fille était en train de remballer la viande séchée et jetait de fréquents coups d'œil à son ancien capitaine, se demandant comment l'aider... Il se remettait mal de ses blessures et, ce qui n'aidait rien, les mercenaires ne le détachaient jamais. Dahlia supposait qu'il devait avoir très mal aux mains... Elle n'entendit pas approcher le chef des mercenaires :

— Tu m'intrigues, fit-il brusquement, dans son dos.

Dahlia sursauta. Elle se détourna vivement de l'otage, constata le sourire narquois du mercenaire et baissa les yeux quand elle remarqua avec quel intérêt il la dévisageait.

— Quel est ton nom ?

— On m'appelle Dantino.

— Ça, c'est le nom que tu portais dans l'armée du roi. Je n'arrive pas à croire que personne n'ait deviné ton secret ! Quelle bande d'*ichpochtlis* ! Mais ton vrai nom... ?

— Pour vous, ce sera toujours Dantino.

Le mercenaire ne se vexa pas. Au contraire, l'entêtement de la jeune fille parut l'amuser. Il se risqua à quelques suppositions :

— Ta peau a la couleur du miel, tu n'es donc pas plus de sang autochtone que moi.

Malgré le cri de protestation de Dahlia, Cactus lui prit une main et en observa la paume.

— Tes ampoules m'apprennent que tu n'avais pas l'habitude du travail manuel, avant de t'enrôler. Tu es une bourgeoise, sinon une noble ! Et puis, ce prénom... Dantino ! C'est un prénom de colon vispanais, ça. Je pense que tu t'es enfuie, te faisant passer pour un garçon dans le but d'échapper à un mariage forcé. Je me trompe ?

Il était trop près de la vérité pour que Dahlia soit tranquille. Sitôt qu'il apprendrait l'« enlèvement » de la reine du Techtamel, cet homme comprendrait à qui il avait vraiment affaire, elle n'en doutait pas.

— Je ne vous dirai qu'une chose : qui que je sois, j'ai besoin de liberté. Exactement comme vous !

— Quel dommage que ta route ait croisé la mienne, alors !

La jeune fille n'aurait pu prévoir que Cactus l'embrasserait. Il l'attira contre lui et écrasa ses lèvres contre les siennes. Elle se débattit — mais autant lutter contre un mur de pierre. Quand il la laissa poursuivre ses tâches, s'en retournant nonchalamment à sa tente, il souriait avec une satisfaction manifeste. Dahlia, quant à elle, dut se retenir à grand-peine pour ne pas hurler sa colère et son humiliation.

Elle devait impérativement fuir.

# 13

# OSVALDO

Vers la fin de l'été, la pluie se mettait toujours à tomber de manière désagréable dans la sierra Gula. Il ne s'agissait plus de ces ondées qui duraient deux jours et dont l'eau s'évaporait ensuite rapidement, laissant de jolies fleurs derrière elles. Pendant plusieurs semaines, il pleuvait tous les jours, plusieurs heures par jour, et le sol ne s'asséchait jamais tout à fait entre les averses. Pendant cette période de l'année, des lacs boueux se formaient, des herbes verdoyantes surgissaient sur leurs rives et les mesquites de la région se retrouvaient noyés jusqu'à mi-tronc par un peu plus d'un mètre d'eau ! Néanmoins, l'eau que les rivières en crue charroyaient, alimentant ces lacs impromptus, n'avait pas plus mauvais goût que d'habitude, aussi les nomades de la sierra Gula profitaient-ils des oasis du mois de l'Eau.

Lorsque le canyon qu'ils suivaient se transforma en vallée étroite et que les cavaliers aperçurent un lac immense, dans lequel la rivière du canyon se jetait, Cactus annonça que le groupe s'établirait sur ses berges quelques jours. Dahlia n'en fut pas aussi heureuse que les mercenaires. Elle s'était attendue à être dans un fort techta, pendant le mois de l'Eau, et la pluie la rendait maussade. Mais au moins, puiser de l'eau ne serait plus une entreprise risquée...

Munie de quatre gourdes, elle s'éloigna du delta trop boueux et pénétra dans le lac, espérant trouver l'eau plus claire près du centre. Elle fut déçue. Elle attendit longtemps que les sédiments du fond se redéposent, mais l'eau garda une couleur jaunâtre ; la jeune fille la puisa quand même. Quand elle se retourna pour regagner le campement des mercenaires, Dahlia remarqua qu'il y avait maintenant bien plus de dix hommes rassemblés près du lac. Ils se tenaient les uns face aux autres, en deux lignes séparées par quelques mètres, et de chaque côté on brandissait des armes à feu... La jeune fille avait l'habitude de la violence : les hommes que son père adoptif envoyait patrouiller dans la sierra Gula revenaient souvent ensanglantés ou mourants, à la suite à d'escarmouches avec les Siates. Malgré cela, Dahlia n'éprouvait aucune envie de revivre la bataille de Nepachonyôtl ; elle envisagea d'attendre dans le lac que les armes soient rangées. Cependant... il était vraiment désagréable de rester sous la pluie avec de l'eau jusqu'à la taille. Elle finit par prendre le risque de revenir au campement.

Deux hommes se tenaient un pas devant les autres — sans doute les chefs respectifs de chacun des groupes. Du côté des mercenaires, évidemment, il s'agissait de Cactus. De l'autre, il s'agissait d'un homme élégant dont le visage rond inspirait la confiance. Vêtu de couleurs terreuses, comme tous les mercenaires, il s'en distinguait cependant par un foulard rayé, noué autour de son cou, et par un chapeau à large bord, pareil à ceux que les soldats techtas portaient. Curieuse, Dahlia s'enhardit jusqu'à sortir du lac. Feignant de poursuivre ses corvées, elle s'installa là où elle pourrait suivre la conversation des deux chefs.

— Mais Tadéo ne nous laissera pas entrer, disait Cactus.

— Bien sûr, cela dépend de ce que tu es disposé à lui offrir, répondit l'autre.

Son élocution soignée frappa Dahlia. Beaucoup de soldats possédaient un vocabulaire limité et avalaient littéralement des bouts de mots lorsqu'ils discutaient entre eux, ce qui rendait difficile de suivre leur conversation...

La jeune fille avait eu le temps de s'apercevoir qu'il en allait de même avec les mercenaires de Cactus. Le chef de l'autre groupe, au contraire, parlait avec l'accent des gens de Zollan et articulait chacun de ses mots comme s'il les savourait en les prononçant... Il parlait mieux que la plupart des officiers que Dahlia avait rencontrés ; mieux, aussi, que certains nobles du palais de Deodato.

— La protection du grand...

— Nous n'avons pas besoin de sa protection ! trancha le chef moustachu.

Les autres mercenaires, debout derrière lui, l'approuvèrent bruyamment.

— Croyez-vous donc que Tadéo vous cédera une partie des grottes et qu'il vous laissera y faire la loi ? Continuez de rêver ! Ou plutôt... Continuez d'errer en nomades dans le désert ! J'espère que les Pyrrhuloxias vous font bon accueil !

Les hommes plantés derrière le beau parleur ricanèrent et les mercenaires de Cactus firent un pas en avant, leurs mousquets brandis bien droit. Il pleuvait depuis tant de jours, Dahlia doutait qu'ils parviennent à quoi que ce soit avec de la poudre humide, cependant Cactus leva la main et arrêta ses hommes.

— Nous continuerons de nous contenter de la sierra Gula, Osvaldo. Et les mercenaires ne se rangeront pas derrière un seul chef. Tadéo ne peut pas comprendre, évidemment...

Dahlia haussa les sourcils, saisissant enfin de qui parlaient les mercenaires. Il ne devait pas y avoir tant d'hommes prénommés Tadéo, dans le désert du Tamaris ! Et s'il s'agissait bien de son père, s'il était parvenu à échapper au roi Deodato pendant ces seize dernières années, la jeune fille serait certainement en sécurité à ses côtés !

— Vous parlez du grand Tadéo Balamqui ? intervint-elle hardiment. De l'ancien général du Techtamel ?

— Dantino ! Tu n'as pas encore fait de feu !

La jeune fille jeta un regard médusé à Cactus. Sous la pluie battante, il ne pouvait pas sérieusement s'attendre à ce qu'elle fasse du feu ! Quand elle nota avec quel intérêt l'élégant chef des mercenaires du désert la détaillait, elle comprit l'agacement de Cactus : il aurait préféré qu'elle passe inaperçue.

— Tu recrutes bien jeune, Cactus.

— C'est un soldat de l'armée du roi que nous avons capturé en même temps que... son capitaine, là-bas.

Cactus se contenta de pointer l'endroit où le capitaine se trouvait, attaché à un piquet.

Il ne se vanta pas d'avoir capturé, puis tué, le Défenseur.

— Ah ! C'est pour cette raison que tu connais le général Tadéo, fit l'homme que Cactus avait appelé Osvaldo. Et la vie de mercenaire te plaît davantage que celle de soldat ?

Un seul coup d'œil en direction du chef moustachu convainquit Dahlia qu'il valait mieux ne pas répondre. Cactus expliqua lui-même à Osvaldo le statut d'esclave de « Dantino ». Et avant que le mercenaire du désert ne réplique quoi que ce soit, il ajouta qu'il n'avait pas l'intention de le vendre tout de suite. Pas avant d'avoir atteint le désert du Tamaris.

— Je pourrais t'en donner un bon prix sans attendre. Qui sait s'il survivra jusqu'au désert ?

— Je suis prêt à le risquer. Je n'ai jamais eu d'esclave qui prenait son rôle aussi au sérieux... Je devrais toujours capturer les recrues de l'armée ! Celle-ci s'occupe vraiment très bien de nous, je vais la garder. Au moins jusqu'au désert.

— *Elle* ?

— *Elle*, cette recrue de l'armée, oui ! se rattrapa Cactus en grognant. Et maintenant, Osvaldo, va t'installer plus loin. Le lac Fangol est assez grand, arrange-toi pour que nous ne sentions pas la fumée de vos feux.

— Si jamais vous réussissez à en allumer un, rigola un mercenaire derrière Cactus.

Osvaldo hocha gravement la tête et adressa un dernier sourire à Dahlia. Sur un signe de lui, ses hommes baissèrent leurs armes et les rangèrent dans leurs sacoches de selle, puis ils se dirigèrent en silence vers l'autre extrémité du lac.

Ils n'attaquèrent pas tandis que le groupe de Cactus campait encore près du lac Fangol. Le chef moustachu expliqua à Dahlia que, dans le désert comme dans la sierra Gula, les rives des plans d'eau et les berges des rivières étaient des territoires sacrés. C'était une question de survie. Néanmoins, Cactus s'attendait à ce que la bande d'Osvaldo essaie de lui voler son esclave et son prisonnier à la première occasion.

— Tu vas chevaucher derrière moi, ordonna-t-il à Dahlia aussitôt que le groupe quitta les abords du lac Fangol.

Mal lui en prit : il fut le premier à mourir dans le guet-apens que lui tendirent les hommes d'Osvaldo. Et dans l'escarmouche qui suivit, sans le leadership de Cactus, les mercenaires de la sierra Gula ne purent vaincre ceux du désert. Deux hommes périrent, la gorge tranchée, et ce fut le signal de la reddition : les mercenaires de Cactus cédèrent leur esclave, leur otage et cinq mousquets en échange de leur liberté.

Dahlia fut bien aise de changer de mains. La violence dont elle venait d'être témoin lui laissait un malaise certain, cependant les hommes qui gisaient dans la boue mêlée de sang ne lui étaient rien. Elle ne faisait guère plus confiance aux mercenaires d'Osvaldo qu'à ceux de Cactus, mais ils connaissaient son père. Ils la mèneraient à lui. Osvaldo la prit en croupe et ordonna à ses hommes de mettre leurs montures au galop jusqu'à Point-de-la-Narine-Percée. Même s'il était parvenu à un accord avec le bras droit de Cactus, il voulait mettre le plus de distance possible entre son groupe et celui qu'ils venaient de vaincre...

Les mercenaires ralentirent un peu quand ils parvinrent en vue du gros rocher en forme de nez qui donnait son nom à l'endroit. Un sentier débutait à sa base et obliquait vers l'ouest. Ils le suivirent jusqu'au soir. Maintenant que les chevaux avançaient au trot, il devenait possible de discuter :

— Alors, jeune recrue, as-tu un nom ?

— Dantino, monsieur.

Dahlia n'avait pas l'intention de révéler son identité à qui que ce soit, maintenant, sinon à son père.

— Et être mercenaire te plairait plus qu'être esclave, je parie.

— Euh... Sûrement, oui.

— Très bien ! Tu pourras devenir mercenaire à deux conditions : d'abord, tu nous sers aussi bien que tu le faisais avec Cactus pendant deux mois, sans exiger aucune part des butins ; deuxièmement, tu jures allégeance à notre chef Tadéo.

— Est-ce que je vais le rencontrer ?

— Éventuellement. Si tes deux mois se terminent avant que nous ne retournions aux grottes, je recevrai ton serment à sa place.

— Pas question ! Je veux jurer allégeance au grand Tadéo lui-même ! protesta Dahlia, craignant qu'il ne se passe des mois avant qu'Osvaldo ne décide de retourner dans le désert du Tamaris.

— Tu n'es pas en position de faire la fine bouche, je te le rappelle. Si tu n'es pas d'accord avec mes conditions, tu restes esclave. Je te vendrai quand j'en aurai assez de toi.

Cette perspective fit réfléchir la jeune fille. Elle n'avait pas confiance en Osvaldo, il lui semblait trop arrogant — d'ailleurs, elle avait du mal à comprendre comment un tel bellâtre avait pu devenir mercenaire ! Mais elle devait éviter de lui porter sur les nerfs, pour qu'il la garde dans le groupe... Et elle devait surtout imaginer un stratagème qui le convaincrait de la mener à son père le plus rapidement possible. Car cela ne semblait pas être dans ses intentions immédiates : la piste que les mercenaires suivaient les menait en direction du soleil couchant ; au loin, on distinguait déjà les hautes montagnes de Yurraga... Osvaldo revenait au Techtamel, sans doute pour aller réclamer la rançon du capitaine. Il ne se rendrait peut-être pas jusqu'à Zollan : de Yurraga, les mercenaires pourraient facilement faire parvenir un message à la famille du capitaine par le relais de la poste. Mais c'était une grande ville. La nouvelle de « l'enlèvement » de la reine s'était probablement déjà rendue jusque-là.

— Écoutez, Osvaldo... J'ai été recrutée à Zollan. Et dans la capitale, les gens parlent encore beaucoup du grand Tadéo.

— Pas seulement dans la capitale, Dantino.

— Croyez-moi, je connais toute l'histoire du général ! insista Dahlia. J'en ai même entendu des bouts que vous ignorez, j'en suis persuadée. Et certains détails intéresseraient... le général. Je crois.

— Quel genre de détail ?

— Le genre qui aiderait le grand Tadéo à...

Dahlia s'interrompit. Elle ignorait tout de ce que son père souhaitait, quinze ans après sa dernière défaite. La folie dont Canchetta avait parlé était peut-être bien réelle. Elle l'avait peut-être transformé en un être cruel, digne des mercenaires les plus sanguinaires... Cherchait-il encore une manière de retrouver sa fille ? Ou préférerait-il regagner les faveurs du roi, après ces longues années d'exil ?

— Qui l'aiderait à venger sa famille, peut-être ? suggéra Osvaldo.

— Si c'est ce qu'il souhaite, oui, je crois que les informations que je détiens pourraient l'y aider.

Osvaldo mit son cheval au pas. Il se retourna sur sa selle et contempla la jeune fille derrière lui, visiblement perplexe.

— Qui es-tu, en réalité ? lui demanda-t-il. Cactus t'avait-il vraiment capturée avec le Défenseur ? Je n'ai jamais entendu dire que Cayetano s'intéressait aux bourgeoises, mais...

— Une bourgeoise ! protesta Dahlia. Est-ce que j'ai l'air d'une bourgeoise ? Ou même d'une fille ?

— En tout cas, *Dantino*, tu ne ressembles pas à un jeune soldat. Crois-moi, je saurais reconnaître les douces courbes d'un visage de femme même sous une tignasse de cheveux courts et sales !

Dahlia serra la mâchoire et ne dit rien. Osvaldo sourit et, d'un vigoureux coup de talons, il remit sa monture au trot. Ils ne se parlèrent plus avant le soir, quand le campement pour la nuit fut dressé. Mais alors, la discussion ne dura pas longtemps... En grande partie parce que la jeune fille avait réussi à subtiliser un couteau dans une sacoche de selle et qu'elle ne souhaitait pas qu'Osvaldo s'assure de sa féminité. L'homme admit qu'en effet, les bourgeoises ne savaient pas si bien se défendre et conclut de bon cœur une trêve avec elle. Dès lors, « Dantina » eut droit à son propre cheval. Et bien qu'elle fût une fille, le chef des mercenaires accepta de compter ses jours de service comme si elle allait vraiment devenir l'une des leurs.

— Mais Tadéo tranchera quand il te verra, la prévint-il.

C'était un arrangement qui convenait à Dahlia.

Très haut dans le ciel, à peine discernable à travers la pluie, un être immense volait au-dessus du Techtamel. Vert, avec un ventre et des pattes écarlates, cela serpentait entre les nuages sans pourtant avoir d'ailes... Le dragon de Deodato recherchait la reine rebelle.

## 14

# LE TRAÎTRE

La mère de Lucio dil Senecalès était finalement partie pour Zollan, ce qui enlevait un poids sur les épaules de l'héritier-machtli, mais l'inquiétude régnait sur le palais dil Senecalès. Lucio ne pensait pas vraiment que le roi l'attaquerait chez lui, ni même qu'il le soupçonnerait de s'être allié à ceux qui assassinaient ses proches, ces jours-ci. Néanmoins, il préférait organiser discrètement la défense du palais, pour être paré à toute éventualité.

Tadéo Balamqui y avait songé dès le début de leurs sanglantes missions : si tout se déroulait comme il l'avait prévu, une douzaine de mercenaires du désert arriveraient au palais de Lucio dans les prochains jours. Les compagnons mahcutais de Tienko, ceux qui s'étaient battus à ses côtés lors de l'embuscade de la Plaine Trouée, étaient également revenus, tous disposés à suivre le demi-elfe à la guerre s'il le fallait. Si l'on additionnait à cela la garde habituelle du palais dil Senecalès, le groupe de la Plaine Trouée se trouvait à nouveau réuni — et dès que les mercenaires de Tadéo seraient là, il y aurait deux douzaines d'hommes armés pour défendre le petit palais en cas d'attaque.

Capucine, Amaryllis et Dahlia, quant à elles, étaient nerveuses pour d'autres raisons. Il y avait maintenant six jours que leur père, Osvaldo et Alcestes étaient partis pour Kallitlan. La nouvelle de la mort d'Itztli Chillos n'était pas encore parvenue à Zollan lorsque Tienko et Lucio s'y étaient rendus, ce qui ne signifiait pas forcément que l'opération avait échoué...

— Je vous dis que cet Alcestes est un traître ! fulmina Dahlia. Toute la bande de Cactus détestait notre père ! À l'heure qu'il est, il est peut-être prisonnier du roi...

— Ou bien il est mort, renchérit Capucine en se tordant les mains. Et si Alcestes a tout révélé au roi Deodato, il viendra nous tuer ici ! Nous devrions fuir !

— Du calme, la coupa Lucio. Si Alcestes nous a trahis, en tout cas ses révélations n'étaient pas encore parvenues aux oreilles de mon oncle quand je me suis présenté devant lui.

Tienko hocha la tête ; lui non plus ne semblait pas spécialement alarmé. Au contraire, il était d'avis de ne rien changer à la stratégie initiale avant d'avoir de bonnes raisons :

— Je ne pense pas qu'un rêve soit une raison suffisante pour accuser un homme de trahison.

Dahlia fut piquée au vif par le commentaire du demi-elfe. Elle se tourna vers lui, écarlate, et lui demanda carrément s'il doutait d'elle.

— Parce que je suis une femme, ma parole ne vaut pas celle d'un mercenaire, à votre avis ? J'ai vécu aux côtés des mercenaires de la sierra Gula, j'ai été témoin de leur fourberie. Ils n'ont pas le sens de l'honneur des mercenaires du désert !

— C'est peut-être vrai. Mais un homme peut changer. Alcestes Huaxin s'est joint aux hommes de votre père et a passé les épreuves qu'on exigeait de lui... Si quelqu'un sait que bien des choses peuvent mal tourner pendant une expédition, c'est...

— Je suis d'accord avec Tienko, Dahlia, intervint Amaryllis pour ramener le calme. Nous ne devons pas nous laisser aller à la panique, autrement nous gâcherions tout.

— Ce sont les astres qui te révèlent ça ? grogna Dahlia.

— Non, c'est le simple bon sens ! Attendons encore un peu, notre père finira bien par revenir...

Amaryllis se détourna de ses sœurs et quitta prestement le salon jaune où, depuis le début, Lucio les amenait pour discuter de leur vengeance. Malgré ses paroles rassurantes, elle était au moins aussi inquiète que Dahlia. La croix des planètes se défaisait rapidement. Si Tadéo ne revenait pas au palais très bientôt, Xipé sortirait complètement de la formation céleste avant qu'ils n'aient exécuté leur vengeance. Sans l'influence de Xipé, toute action serait suspendue indéfiniment... Le mois de l'Eau commencerait. Or, Amaryllis s'était juré que Deodato mourrait *avant le mois de l'Eau !* Elle marcha d'un pas rageur jusqu'aux bains, sans demander la collaboration des serviteurs — Lucio l'y rejoignit avant que la jeune astromancienne n'ait trouvé le moyen d'actionner le mécanisme complexe qui permettait de remplir la baignoire.

— Je vous sens troublée. Vous n'en parlez plus guère, mais... À moi, voudrez-vous révéler le secret des planètes ?

— Pourquoi me harceler avec ça ? Je ne serai pas votre astromancienne, héritier-machtli. Un jour, quand cette vengeance sera parvenue à sa conclusion, vous serez roi. Et moi, je cesserai de scruter le ciel chaque nuit ! Je me consacrerai uniquement à la sorcellerie des Herbes !

Amaryllis trouva enfin le bon levier : quand elle releva celui qui arborait un pommeau d'or, l'eau chaude s'écoula par la gueule du serpent qui surplombait la grande cuvette. Elle tendit la main pour vérifier la température de l'eau — elle la retira vivement quand elle sentit la brûlure.

— Il faut mettre un peu d'eau froide, expliqua Lucio, l'air amusé, en actionnant un deuxième levier.

Le débit de l'eau augmenta un peu.

— Voulez-vous réellement prendre un bain maintenant ? Le soleil se couche à peine...

— Cela me calmera et me permettra de réfléchir plus clairement.

— Bien sûr. Dans ce cas, je vais appeler les servantes pour vous assister... Mais si je vous ai suivie, Amaryllis, c'était pour vous demander de m'accompagner dans les jardins. Pensez-vous que vous pourriez remettre ce bain à plus tard ?

Amaryllis plongea son regard dans celui de Lucio et devina ce qu'il avait en tête. Elle se doutait que ce moment viendrait, elle avait simplement cru que l'héritier-machtli attendrait la mort du roi pour demander à son père la permission de l'épouser... La jeune fille se rembrunit en songeant qu'il n'attendait même pas le retour du grand Tadéo ; peut-être Lucio croyait-il que l'ancien général était mort.

— Mon père reviendra, Lucio. J'ai dessiné sa carte astrale et elle est dominée par Xipé. Mon père est destiné à vaincre !

— Je suis heureux de l'entendre, vraiment. Après les révélations de Dahlia... Comme vous trois, je m'inquiète de cette absence prolongée. Non seulement parce que j'ai beaucoup à perdre, si nous sommes trahis, mais aussi parce que Tadéo Balamqui est un homme que j'admire. Cependant... Est-ce que le retour imminent de votre père vous empêchera de passer quelques minutes seule en ma compagnie ? Devez-vous vraiment vous creuser la tête du matin jusqu'au soir pour assurer le succès de votre vengeance ?

— Non. Mais pour ce que vous avez en tête, il vous faudra attendre le retour de mon père.

Lucio sourit et guida Amaryllis hors du palais, jusque dans les jardins où elle aimait se promener. Une partie venait d'être réaménagée — il avait beaucoup plu, la veille, aussi la jeune astromancienne n'était-elle pas sortie du palais depuis deux jours. Elle nota aussitôt les bancs de pierre, placés en cercle dans la zone nouvellement dégagée, la table en marbre et la forme étrange recouverte d'une toile huilée, juste au centre.

— Une nouvelle statue ? s'étonna-t-elle.

Lucio se mit à rire, heureux de pouvoir la surprendre, pour une fois. Il dénoua les nœuds qui retenaient la toile en place et lorsqu'il la fit glisser, ce fut pour révéler un long tube de métal poli, pointé vers le ciel. Amaryllis poussa une exclamation ravie :

— Une lunette astronomique ! Quelle merveille !

Même dans le Labyrinthe, la jeune fille n'en avait jamais vu. Sa mère adoptive lui avait cependant expliqué que les véritables astromanciens scrutaient les étoiles avec ces longues-vues très puissantes. Amaryllis posa respectueusement les doigts sur le métal argenté.

— C'est un modèle récemment mis au point par un astromancien de LaParse. On regarde par cette extrémité...

Évidemment, avant la nuit noire, il n'y avait rien à voir par l'œilleton d'une lunette. Amaryllis n'en fut pas moins enchantée.

— Je vous l'offre en cadeau. Je l'ai fait venir expressément pour vous.

— Je vous ai pourtant dit que je ne serais pas votre astromancienne...

— Je n'ai jamais prétendu que ce cadeau était conditionnel à ce que vous restiez au palais, Amaryllis. Voyez-le comme... une preuve de mon amour pour vous. Et plutôt que de vous demander de rester et de devenir mon astromancienne, je souhaite vous demander de devenir ma reine.

C'était la deuxième demande en mariage qu'Amaryllis recevait en un an. Cette fois, elle ne ressentit aucun besoin de gagner du temps. Elle savait quelle réponse donner :

— Je ne peux décider de cela moi-même. Comme je vous l'ai dit, vous devrez demander à mon père la permission de m'épouser.

— Je vous connais assez bien, maintenant, pour savoir que jamais vous ne vous soumettrez à un mariage qui ne vous plaît pas.

La jeune fille fut rassurée d'entendre l'héritier-machtli parler aussi franchement. Il avait beau respecter ses connaissances et son jugement, les traditions avaient la couenne dure, au Techtamel. Il n'était pas habituel que les femmes décident de quoi que ce soit d'important... Émue, elle posa la main sur le bras de Lucio :

— Je ne vous aime pas... Du moins, pas encore, avoua-t-elle. En ce moment, il n'y a de place dans ma vie que pour cette vengeance contre le roi. Mais si mon père est d'accord, je serai heureuse de vous épouser.

— *Pour devenir reine ?* fit Lucio, méfiant.

— *Entre autres. Comment ne pas souhaiter être reine à vos côtés ? Je sais que vous me demanderez mon opinion et que vous écouterez mes conseils. Je ne serai pas une poupée qu'on exhibe, j'aurai l'occasion de changer les choses...*

Amaryllis songeait à nouveau au Labyrinthe et à Sahale. La cité close s'était révoltée par manque de liberté, mais cela ne signifiait pas pour autant que toutes les idées du Maître aient été mauvaises. Sahale avait vu trop loin, trop vite... Et si Amaryllis se retrouvait un jour en position de récupérer ses idées, rien ne l'empêcherait de faire revivre, un peu, le rêve du Maître.

— « *Le Techtamel tel que nous le connaissons disparaîtra »,* cita Lucio.

— *Eh bien... Oui, pourquoi pas ? Cette partie de la prophétie n'est pas nécessairement négative... Est-ce que cela vous effraie ?*

— *J'ai l'habitude d'affronter les ennuis un à la fois, quand ils se présentent à moi.*

C'était une telle attitude qui donnait à penser à Amaryllis qu'une fois Deodato mort, elle pourrait aimer Lucio. Elle lui sourit, affectueusement.

Des cris éclatèrent, du côté du palais. Lucio et Amaryllis n'hésitèrent pas une seconde : Ils se précipitèrent d'un même élan vers les doubles portes du hall principal. L'héritier-machtli courait nettement plus vite que la jeune astromancienne, il parvint à l'intérieur du palais avant elle et ne mit qu'un instant à localiser l'origine des cris.

— Ça vient des chambres ! jeta-t-il par-dessus son épaule, tandis qu'il grimpait l'escalier quatre à quatre.

Amaryllis reprit son souffle avant de le suivre et décrocha du mur l'une des lampes à l'huile encore éteintes. Elle doutait que cela fasse une arme adéquate, mais si elle devait se défendre, ce serait mieux que rien...

Elle rejoignit Lucio dans l'une des chambres des invités — celle où Tadéo et ses deux acolytes s'étaient présentés, le premier soir. Ce fut suffisant pour la mettre sur la piste de ce qui s'y passait vraiment : comme elle s'y attendait, elle découvrit Alcestes Huaxin dans la chambre, aux prises avec Dahlia, Tienko et l'héritier-machtli. Capucine, pour sa part, restait paralysée dans un coin, les yeux exorbités. Amaryllis prit le temps d'évaluer la situation. Sa sœur et Alcestes étaient les deux seuls à être armés. Le demi-elfe était parvenu à éloigner Dahlia du mercenaire et il la retenait de son mieux, mais cela ne s'était pas fait aisément, car il saignait du nez. Même Lucio avait eu le temps de récolter une estafilade au bras en essayant d'immobiliser Alcestes ! L'astro-mancienne fronça les sourcils. À son avis, il eût mieux valu pour tout le monde laisser la jeune reine du Techtamel et le mercenaire se battre jusqu'à la première goutte de sang ; elle savait qu'aucun autre type d'affrontement ne satisferait Dahlia.

— Salaud ! hurla cette dernière à travers les grognements indistincts qui emplissaient la pièce.

Dahlia parvint à se défaire de la poigne de Tienko, qui la retenait loin d'Alcestes. Son couteau brandi devant elle, visant la gorge de son ennemi, elle sauta sur le mercenaire étendu par terre. Heureusement pour lui, l'héritier-machtli comprit en un éclair que la jeune fille ne s'arrêterait pas, même s'il se plaçait entre le mercenaire et elle ; il lâcha prestement Alcestes pour éviter le couteau de Dahlia. Le mercenaire se précipita de côté et la lame le manqua de peu. Dans son mouvement, Alcestes heurta cependant le mur de la chambre, ce qui le sonna un instant. Ç'aurait pu être suffisant pour que Dahlia en finisse avec lui ; y voyant une occasion en or, la jeune fille sauta par-dessus Lucio dil Senecalès et ne se trouvait qu'à une enjambée du mercenaire quand Tienko la plaqua violemment. Elle fut projetée contre les tentures de la fenêtre, auxquelles elle essaya instinctivement de se retenir... Elles s'effondrèrent sur elle. Le demi-elfe en profita pour l'immobiliser, aidé de son ami Lucio, et ils ne furent pas trop de deux pour maîtriser la jeune furie.

— Vous êtes tous des traîtres ! cria-t-elle.

Amaryllis, voyant qu'Alcestes se relevait, l'assomma d'un coup de lampe à l'huile sur le crâne. Les deux opposants ainsi mis K.O., elle se tourna vers Capucine afin d'obtenir la confirmation de ce qui s'était réellement passé dans la pièce.

— Nous nous trouvions dans notre chambre quand Alcestes nous a surprises, expliqua la jeune fille, au bord des larmes. Il se tenait dans le corridor, entre cette chambre et la nôtre... Les portes de l'antichambre étaient restées ouvertes... Dès que Dahlia a aperçu Alcestes, elle a sorti son couteau ! Mais j'ai été la première à venir vers lui. Il semblait épuisé, je lui ai demandé ce qui n'allait pas...

Le mercenaire n'avait eu que le temps d'annoncer la mort du grand Tadéo avant que Dahlia ne se jette sur lui en criant. Ils avaient renversé un pot de fleurs et cassé une chaise — le bruit avait alerté Tienko et il s'était jeté dans la mêlée afin de séparer les deux combattants, mais sans guère de succès jusqu'à ce que Lucio s'en mêle aussi. Capucine lança un regard désolé au demi-elfe, dont la moitié du visage était maintenant maculée de sang. Dahlia s'était un peu calmée en voyant Amaryllis assommer Alcestes, cependant ni Tienko ni Lucio ne semblaient disposés à la relâcher.

— Bon, puisque c'est comme ça...

Amaryllis alla fouiller dans ses effets personnels. Depuis que Lucio leur avait offert l'hospitalité, elle avait recommencé à récolter des herbes et des fleurs pour sa sorcellerie. Elle revint dans la chambre d'invités avec une branche de magnolia qu'elle tressa à des feuilles de coca. Lorsqu'elle y mit le feu, elle obligea Dahlia à en respirer la fumée, malgré ses protestations ; il ne fallut pas longtemps pour que la jeune forcenée cède aux effets euphorisants de ce charme d'Herbes et ne se détende. Le demi-elfe fut heureux de pouvoir enfin s'occuper de son nez sanguinolent. Amaryllis se tourna vers le mercenaire inconscient.

— Quant à toi, Alcestes... Nous saurons la vérité sur ce qui s'est passé avec Itztli Chillos.

La jeune sorcière préleva quelques pétales à une marguerite encore fraîche, les broya avec de la chicorée sur le rebord de la fenêtre et cracha sur le mélange afin de le lier en une minuscule boulette. Avec l'aide de Tienko, elle ouvrit la bouche d'Alcestes Huaxin. Tout en invoquant le pouvoir des trois déesses, comme sa mère adoptive le lui avait enseigné, Amaryllis lui enfonça la boulette au fond de la gorge jusqu'à ce que ses réflexes de déglutition l'obligent à avaler.

— Il n'y a plus qu'à attendre. Quand il reprendra ses esprits, il nous dira la vérité.

Après avoir reçu tout un seau d'eau fraîche à la figure, le mercenaire ne mit pas longtemps à rouvrir les yeux. Ses premières paroles glacèrent ses cinq auditeurs :

— Nous avons été trahis. Itztli Chillos savait que nous venions le tuer. Il était prêt à nous recevoir. Et maintenant, Tadéo et Osvaldo sont morts ! C'est une grâce des neuf dieux qui m'a permis de fuir, avec seulement un autre homme de notre groupe...

— C'est impossible, protesta Amaryllis, prise de court. La carte astrale de mon père... Xipé...

— Comment cela s'est-il passé ? demanda Lucio, la voix éraillée.

— Une embuscade. Itztli et Tadéo se sont battus, le général a tenté de s'échapper, mais Itztli l'a rattrapé et... j'ai vu sa tête se détacher de son corps !

— *Notre père disait qu'Itztli abusait de l'alcool*, murmura faiblement Dahlia.

Ses lèvres grimaçantes révélaient que le charme d'Herbes ne fonctionnait pas parfaitement sur la jeune fille. Amaryllis en prit mentalement note : il était possible que les tiges de magnolia n'aient pas été assez sèches...

— *C'est vrai*, confirma Capucine. *Il m'a aussi dit qu'il était à peine capable de manier une épée, maintenant !*

— *Ils ont torturé Osvaldo*, poursuivit Alcestes. *Quand ils l'ont ramené dans la pièce qui nous servait de prison, il était inconscient... Personne ne peut survivre à ce genre de blessure. Trop grave !*

— *Dans ce cas, Osvaldo n'a pas parlé.*

Capucine, Amaryllis et Lucio se tournèrent vers Tienko, déconcertés. Alors le demi-elfe expliqua comment il pouvait être aussi certain : un véritable bourreau ne se rendait jamais jusqu'à infliger des blessures mortelles à sa victime. Son « art » consistait à lui faire croire qu'en parlant, elle serait sauve et pourrait reprendre une vie normale. Mais passé un certain stade, n'importe qui pouvait se rendre compte que seule la mort l'attendait. Dès lors, pourquoi trahir ses comparses ? Un silence consterné accueillit les révélations d'Alcestes et de Tienko.

— *Pauvre oncle Osvaldo, gémit Capucine.*

— *Est-il possible que votre sorcellerie ne fasse pas effet sur un homme comme Alcestes ? demanda tout à coup Lucio dil Senecalès. Existe-t-il un moyen de se prémunir contre ce charme de vérité ?*

— *Pas que je sache, réfléchit Amaryllis. Cependant... Qu'en serait-il si Alcestes était persuadé que ses compagnons sont morts ? Il ne nous dit que ce qu'il croit être la vérité, en conséquence...*

— *L'embuscade s'est déroulée dans la noirceur, résuma l'héritier-machtli. Peut-être qu'Alcestes n'a pas bien vu ce qui s'est passé entre Tadéo et Itztli.*

— *Notre père croyait qu'il serait facile de tuer Itztli, leur rappela Capucine.*

— *Et sa carte astrale lui promet la victoire, termina Amaryllis.*

*Dahlia toussota, comme si elle riait à moitié, et ses deux sœurs l'observèrent gravement. Malgré le charme de vérité d'Amaryllis, il ne se dégageait rien de certain des paroles du mercenaire — sinon la mort d'Osvaldo. En outre, Alcestes Huaxin savait que la jeune fille maîtrisait la sorcellerie des Herbes ; s'il était le traître que décrivait Dahlia, il avait pu prendre une sorte d'antidote avant de s'introduire dans le palais dil Senecalès... Lucio intervint avec sagesse :*

— Je propose que nous enfermions Alcestes jusqu'à ce que nous obtenions plus de détails.

Le demi-elfe approuva son ami, jugeant cette mesure à la fois juste et prudente. Ils espéraient sans doute ainsi garder le mercenaire loin de la fureur de Dahlia, en plus de l'avoir à l'œil...

— Les hommes de mon père devraient être ici dès demain, leur rappela Amaryllis. Pour apprendre la vérité, il faudra envoyer un petit groupe à Kallitlan, sans pour autant laisser le palais dil Senecalès vulnérable.

— J'irai aussi, fit Dahlia.

Amaryllis comprit que l'inaction pesait à sa sœur. Elle-même commençait à étouffer entre les murs du palais ; il lui tardait de revoir la mer...

— Ce ne serait sans doute pas très prudent de laisser la reine du Techtamel vagabonder dans le royaume, réfléchit-elle. Toutefois, si nous quittons tous le palais, le roi ne saura vraiment plus où nous atteindre.

— Il nous faut pourtant un point de ralliement assez vaste pour accueillir discrètement tous nos guerriers. Et pour accumuler des armes ! protesta Lucio.

— Eh bien... Si je peux proposer quelque chose...

Tous les regards convergèrent vers Capucine, qui rosit. Tienko lui saisit la main, encourageant, et même Dahlia sembla la regarder avec sérieux. Le charme euphorisant abandonnait son emprise sur elle.

— Amaryllis nous appelle sans cesse « le groupe de la Plaine Trouée »... Il n'y a pas que le trou de l'ogre, là-bas, vous savez. Il y a tout un réseau de corridors et de grottes qu'on pourrait facilement aménager.

— Il y a même une rivière souterraine qui se jette dans la mer Séverine, quelque part à l'est de Zollan, ajouta Lucio. L'idée n'est pas bête.

La décision fut rapidement prise : ils attendraient l'arrivée des mercenaires du désert, puis le groupe de la Plaine Trouée déménagerait discrètement, de nuit.

— Une boucle, soupira Amaryllis. Nous revenons sur nos pas.

La jeune astromancienne voulait rester optimiste et croire en ce qu'elle lisait dans le ciel. Mais à la vérité, seule la croix céleste lui semblait fiable et celle-ci se défaisait peu à peu... Sa logique la poussait à réfléchir à une nouvelle stratégie pour vaincre le roi Deodato, au cas où Tadéo Balamqui serait bel et bien mort.

Car si c'était le cas, les fleurs du roi auraient une raison de plus de vouloir se venger de Deodato.

# TABLE DES MATIÈRES

1 — Une vengeance ..................................... 7

2 — La demande en mariage...................... 32

3 — Le récit de Canchetta.......................... 48

4 — Arrivée à Zollan ................................. 64

5 — D'éprouvantes préparations ............... 79

6 — Une mariée distraite........................... 96

7 — Cipactli.............................................. 108

8 — Mensonges et vérités ........................ 120

9 — Escapade nocturne............................ 143

10 — Dantino et Cayetano........................ 163

11 — Nepachonyôtl .................................. 180

12 — Les mercenaires .............................. 192

13 — Osvaldo............................................ 207

14 — Le traître ......................................... 219

*Retrouvez Amaryllis, Dahlia et Capucine
dans la conclusion de la série
« Les fleurs du roi »*

### La vengeance des fleurs

— Je suis heureuse de te croiser, Sionius. Nous partons demain pour Kallitlan, dans la nuit, annonça Dahlia sans préambule.

— C'est une bonne nouvelle. Nous sommes prêts !

Tadéo Balamqui, ancien général en exil, avait su mériter la loyauté de ses hommes. Lorsque les mercenaires du désert s'étaient présentés au palais dil Senecalès et qu'ils avaient appris la disparition de leur chef, ils se seraient tous précipités à Kallitlan pour faire la lumière sur sa mort présumée. Dahlia était intervenue, leur demandant d'attendre, et ils avaient accepté de patienter. Ce soir, la jeune fille savait que ce qu'elle s'apprêtait à dire ne plairait pas aux hommes de son père :

— Beaucoup resteront ici encore quelques jours, avec mes sœurs. Pour l'expédition qui nous attend, je pense qu'un petit groupe sera plus efficace...

La jeune fille s'interrompit. Six mois à partager le quotidien des mercenaires ne l'avaient pas rendue apte à commander aussi bien que son père. Ou même qu'Osavaldo dil Fontanol, son bras droit, disparu avec lui lors de leur dernière mission... Des trois filles de Tadéo, seule Amaryllis avait hérité de son autorité naturelle et de son sens de l'organisation. Dahlia, pour sa part, n'avait jamais su planifier efficacement quoi que ce soit.

— Tu sais mieux que moi de combien d'hommes nous aurons besoin, termina-t-elle. Les autres suivront Amaryllis et Capucine dans les grottes de la Plaine Trouée. Je te laisse départager tes hommes. Quant à moi...

Dahlia se tourna vers les écuries et grimaça. Lucio dil Senecalès lui avait généreusement offert de choisir parmi ses chevaux celui qui lui plaisait, pour son expédition vers Kallitlan. La jeune fille ne doutait pas que le choix serait difficile, les montures de Lucio étant toutes exceptionnelles. Mais elle aurait tout de même préféré posséder encore celle que son père lui avait donnée, dans le désert du Tamaris... Hélas ! Son étalon blanc devait toujours se trouver dans les écuries du palais de Zollan : le roi Deodato avait confisqué les chevaux des trois sœurs lorsqu'il leur avait mis la main au collet.

— Je vais essayer à nouveau de me trouver un cheval dans le capharnaüm que sont devenues les écuries. Et gare au palefrenier qui m'enverra promener !

Achevé d'imprimer
sur les presses de
Imprimerie H.L.N.
*Imprimé au Canada - Printed in Canada*